枇杷樹下

枇杷の樹の下で

柚木和ユズキカズ

目次

枇杷樹下

ピチャ
喳喳
ピチャ
喳喳
喀啦ー
沒大礙了。燒退了，濕疹也消失了。
ワン
ワン
汪汪
醫生每天都會在固定的時間現身，往剛滿九歲的光市的圓屁股扎一針，然後離去。

再兩、三天就會康復了。
非常感謝您，多虧有您悉心照料。
ワン
汪汪
我連續來一個多禮拜了，牠還是不記得我呢。
瑪爾斯，安靜。
ワン
汪汪
汪汪
ワオン
這小狗我還真拿牠沒辦法。
都是光市帶牠去散步嗎？
是，牠和光市最親。
這麼說來，這隻狗也很寂寞吧。
笨蛋，瑪爾斯是討厭消毒水的味道啦。
汪汪
ワオン
汪汪
嘎吱
瑪爾斯。
嘎吱
咳咳
嘎吱嘎吱

嘩啦——
鯉魚跳了起來……
瑪爾斯，好久不見。
ワン
汪汪
欸，正子，光市在睡覺，小聲一點喔。
ワンワン
汪汪
我會和比奈子一起唸書，請放心。
小光怎麼啦？
麻疹。
那要好好用功喔。
嗯——

這邊喔。
喀拉
妳在看什麼啊？
枇杷結了那麼多……好想吃呀。
不爬到樹上就摘不到喔。
嗯。
我最愛爬樹了。

嗡—
欸，正子，
我去買晚餐要煮的菜，衣服先幫我放洗衣機喔。
ガチャ
喀恰喀恰
ワンウォン
汪汪
拜託妳囉。
我們就快考試了耶。
喂。
沙沙
沙沙沙
那是怎樣啊，到底誰比較吵啊。
正子的媽媽真年輕，好棒喔。
沙沙沙
妳吃完飯再走吧。
要留下來吃嗎？不知道配菜是什麼？
沙沙
沙沙
畢竟妳很挑食呢。
カリカリ
沙沙

小光真可憐耶。
沙沙
沒辦法囉。
沙沙沙沙
麻疹誰都會得嘛。
翻
虎列拉呀、牛頸呀，名字聽起來就很可怕，不過麻疹嘛……
牛頸聽起來好像狗的品種喔。
瑪爾斯是雜種狗，有混到指標犬喔。
我養的小榮去年夏天死掉了。
咦？真的死掉了嗎？不在了嗎？
得了犬瘟，聽說是絕對醫不好的病。
不治之症嗎？那瑪爾斯……
瑪爾斯不會有事的，聽說雜種狗很健壯。
沙
沙
去年夏天我也吃了很多苦頭呢。
沙沙
沙沙
得了盲腸炎。
啪
沙
沙沙

1 虎列拉為霍亂別名，牛頸為白喉別名。

ピチャ
喳喳
カリ
沙沙
ピチャ
喳喳
所以比奈子剃掉了啊。
カリ
沙沙
對啊，那種東西當然剃掉了。
但它還是……
カリ
沙沙
啪沙
對啊，再怎麼剃都還是會馬上長出來。
クックッ
呵呵
呵呵
沙沙
沙沙
呼
瑪爾斯。

瑪爾斯。
汪
ワン
小心一點喔。
安啦安啦。
ワン
汪汪
妳運動神經又不發達……
ワン
汪
汪
瑪爾斯，吵死啦！
ワン
ワン
汪汪
哎唷，哪來的幹勁啊。
好——我露一手給妳看。
真的沒問題嗎？
ワン
汪汪

不站到樹枝上就
構不到枇杷喔。
少說幾句啦。
登登—我要摘了，
妳要接好喔。
呵呵呵，那傢伙真是個野丫頭。
跌下來我可不管喔。
嘿—
咻
哼，得意忘形。

我要摘囉。
要丟囉。
啪
再一個。
接好喔。
唷
喝!

看，小光在偷看我們。
小光，你看——
小光，這是我爬上樹摘的喔。
你喜歡枇杷吧，小光？
汪汪
喂，瑪爾斯。
汪汪
狗不可以上緣廊啦。
ウオン汪

哎
你都看到了？我很會爬樹吧。
小光會嗎？我之後教你吧。
啊——
來。
呵呵呵
種子吐到我手上就好喔。
モグ
嚼嚼
呀
希望你早日康復。
汪汪汪
快快好。

欸，正子，要不要去洗衣服了？
妳媽快到家囉。
唔—
咚
哎唷，別睡覺啦。
嗶啾
咻—

汪——汪
噗通——
瑪爾斯。

嗷—嗚
喀哩喀哩
喀哩喀哩
啊。
喀答
汪汪
喀答
ハッ
你是怎麼了啊？
ワウ
嗷嗚
別這樣啦，你很重耶。
モコ
鼓起
吼嗚嗚
嘿嘿嘿
ハアッ
呼呼
吼嗚嗚嗚
討厭啦，你呼出來的氣臭死了。
呼呼呼呼呼
小光～
呼呼呼呼啊，
小光啊，竟然
我人啊，了耶～
愛上
啊啊，真丟臉。
哇啊！

ハァ
呼呼
……
啊，嚇死我了。
流了好多汗。
呵呵，姐姐睡著了。
喂，醜女。
咦？瑪爾斯也在睡。
可惡，剛剛嚇死我了。
啊，
又上去了，真的很愛爬樹耶。

比奈子的腳沿著樹枝往上爬，
很快地便徹底消失在葉隙暗處……
對了，我來接枇杷吧。
枇杷樹下，轉瞬之間，弟弟心想：
她就這樣消失了。
這種時候該說什麼才好呢，姐。
弟：「我兩手空空，閒得發慌啊。」
姐：「那什麼話啊，那樣太奇怪了吧。」
吁吁

正姐，不得了啦，現在不是睡覺的時候啦。比奈子消失了啊。
總之，大家都在睡覺。
蜻蜓停在萱草的葉子上沉睡。
呵呵呵
鯉魚在蜀葵下入眠。
這種時間真奇妙呢，竟然只有最年幼的我醒著。

光市。
咦？
就在這時，
他確實聽到了呼喚聲。
啊
吁—
吁—
定睛一看，比奈子躺在光市的棉被旁，
咦咦，她什麼時候…
而被窩裡，彷彿再自然不過地…
呵呵，小光。
？
躺著臉頰稍稍泛紅的光市。
你喜歡我嗎？你喜歡姐姐還是我？
那個光市，靜靜轉頭望向了這一側。

八月的妹妹

我正在寫數學作業。
ブー
嗡
奶奶在幫豌豆去絲。
嗡一
ブーン嗡
嗡一

蟲子飛行的聲音，害我算得很慢。
奶奶聽不到蟲子飛的聲音。
嗡——
瑞穗，
要來玩的話，就剩今天可以囉。
喀恰！
姐姐的打工只做到今天了。
奶奶左耳的耳膜破了，一直沒好。
妳和奶奶一起……
只到今天啊……

因為是最後一天了，妳想吃什麼都能吃喔。
嘰
妳愛吃的拉麵也吃得到喔。
紗希姐，妳會用打工的薪水買東西給我嗎？
不會喔。
因為辛苦流汗的人是我呀。
NIAGARA BUS STOP
沙
喀恰

暑假期間，姐姐在海邊小屋打工。
チリン
叮鈴—
チリン
哎~真是小氣到了極點呀。
嚓
姐去打工，我可是連她份內的家事都做了耶。
妳說對吧，奶奶？
瑞穗，捉弄老人家要適可而止喔。
……
……

在半徑五公尺的圓形池子外圍鋪一條寬一公尺的道路，請問道路面積為？
奶奶，妳不知道圓周率吧。
抓
妳今年都還沒去海邊游泳吧。
明明放假卻整天懶洋洋地窩在家裡，
鬧老人家玩。
嗡—
還不是因為我的結核菌素測驗結果……
轉陽性的人不能去游泳。

呵呵呵
呵呵呵呵呵
姊姊的屁股好像豬喔。
啊哈
聽說屁股長那樣的女人，
起身
腦袋都空空的。
……
媽，我的泳衣收到哪去了？
欸，泳衣在哪？
櫥櫃最下層啊，先仔細找……
咻
找過啦。
找過再問嘛。
噠

瑞穗，妳穿泳裝是要去游泳嗎？
嘩啦！
沒要游泳，我要去姐那裡玩。
奶奶，我們去海邊吧。
吃完中餐再去吧？
我有很多事要做。
怎樣？
瑞穗。
不要離岸邊太遠喔。
我決定邀野枝一起去。
沙—
沙—

喂——野枝，一起去海邊吧。
喀嗒
瑞穗，我今天有點……
這樣啊，感冒了。
嗯。
……
野枝也會感冒啊，還真是來到了一個新世界。

於是我邀了林子。
金鳥油
啪
瑞穗。
手伸出來。
掉
林子無論何時都是活力十足的小妞。
金鳥油
涼涼的喔。
「是喔，瑞穗轉陽性啦。」
「嗯。」

「我呀，不想測出陰性，所以對打針的地方又打又揉……」
那樣會紅腫變大喔。之前我揉過頭，
腫得像乳頭一樣……
沙
希望不會碰到水母呢。
沙沙
沙ー
姐姐打工的海邊小屋，距離這裡兩公里左右。
我想要中午到那裡，大吃特吃。
沙ー
嗯。

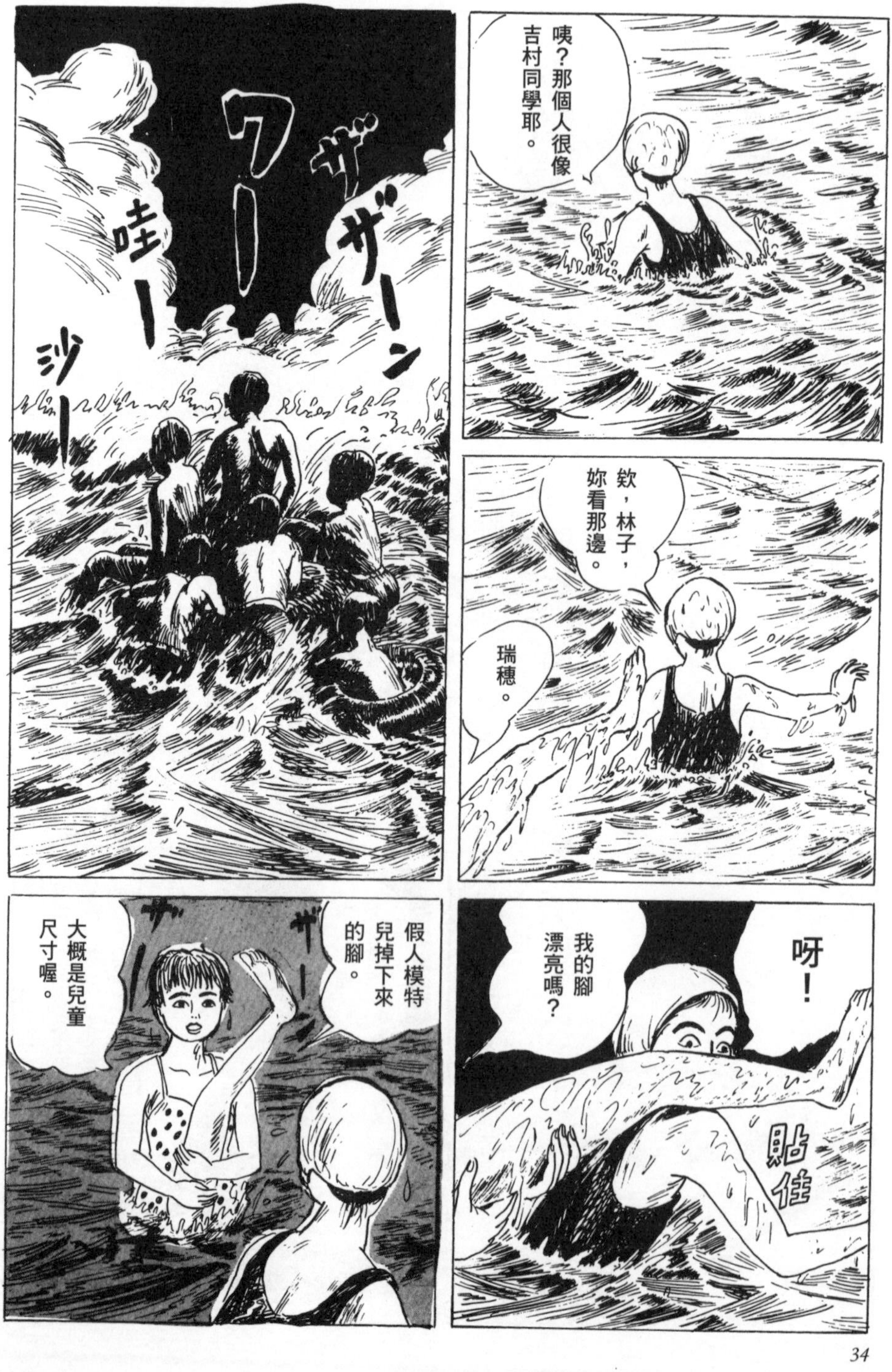
咦？那個人很像吉村同學耶。
欸，林子，妳看那邊。
瑞穗。
ザザーン
ワー
哇ー
沙ー
呀！
我的腳漂亮嗎？
貼住
假人模特兒掉下來的腳。
大概是兒童尺寸喔。
ザー
ザー

瑞穗
妳生氣了嗎？
嚇了那麼大一跳啊？真對不起。
沒有啊。
不知道瑞穗的姐姐在哪呢。
真是的，妳隨時都活蹦亂跳，真好耶。野枝說她感冒了。
ワン
汪汪
ワン

嘩—
妳姐應該在這吧。
呃唔……
怎麼啦？
紗希妹妹，今天就是妳最後一天上班了。
喀恰
喀恰
啪
呃
奉陪個一次嘛。
啥？跟老闆嗎？我會怕啦。
喀恰喀恰
是喔——原來紗希也是會害怕的啊，這下我對妳又有一層新的認識了。
啤酒
300
400
我只不過是個普通的鄉下高中生啊。
喀恰
抓
普通的鄉下高中生會有這種屁股嗎？

笨蛋！色狼！我要告訴你太太喔！
等、等等再過去吧。
嗯。
妳姐是太妹老大嗎？
呃，嗯。
不可通過
BUS STOP
西瓜
哈密瓜
瑞穗長大後一定也可以當太妹老大的，因為妳是她妹妹呀。
我姐腦袋空空，而且又有一顆丟人現眼的屁股。
リリリ－唧唧

沙ー
汪汪嗚ー
汪汪
汪ー
呼ー
啊啊肚子好餓
沙ー沙
好ー想吃拉麵
汪汪
汪ー汪
汪汪
野枝才不是感冒，八成是那個啦。
沙沙
哪個？
那個是什麼呀？
沙ー
沙ーー沙
啊
果然是吉村同學。
呃～那個就是…
我們也去游泳吧。
然後也吃碗拉麵吧。好ー啊，我現在好開心。

啊
我剛剛
尿尿了。
チャプン
嘩啦嘩啦
後來，那個夏天……
我們接受了結核菌素
測驗的夏天……
哇—
是浪。

哇ーー
沙ーー
呀、呀、
呀ー
今年夏天真熱呢，老闆。
要喝啤酒嗎？
沙ー
汪汪
陽傘
瑞穗，振作啊！
沙沙沙
啊啊，好險，還以為要溺水了。
呼ー呼ー
嘔ー嘔ー
啊
啊。
瑞穗，腳流血了……

我的數學作業寫半天還是寫不完。
奶奶正在把蒟蒻弄成一小塊一小塊。
瑞穗。
妳在做什麼？
林子，妳數學作業寫完了嗎？
腳傷還好嗎？
這種程度不算什麼傷啦。
林子太小題大作了。
可是流了那麼多血耶，細菌搞不好跑進去了。
而且留下疤痕就傷腦筋了。

八月的妹妹。
那第二學期見囉。
野枝果然是那個啦。
第二學期見。
啊，那個原來是指初經啊。
奶奶。
妳撕那麼多蒟蒻要做什麼？

海上的姑娘

好快！
妳游得真快呀
瑞穗
我的自由式進步了喔，下次來比吧。
嘩啦
嘩啦

友人林子，邀請午睡中的瑞穗去看電影。兩人是國中生，正在放暑假。
去看電影吧。
沒有家長同行會被罵的。
沒有人在遵守，大家都沒事啊。
啊，妳竟然戴耳環。
不會怎樣啦，走吧。
捏

回程就入夜了。
太晚回家會被罵的。
沙沙沙
隆ー
太陽眼鏡借我。
不行，妳戴不適合。
ゴゴゴ嗡隆ー
兩名女孩走在海邊國道上，距離電影院還有兩千公尺。她們要看詹姆斯·狄恩的片，兩部連播大放送。

明天去游自由式吧。
唷，這不是瑞穗嗎？
妳要去哪？
西瓜大特賣
聽說妳姐啊，
ブー
隆—
西瓜大特賣
去東京到處玩呢，盂蘭盆節會回來嗎？

不是去玩啦，是去工作。
ザーー
沙ーー
是去幹啥都行啦，我是想要她早點回來。
那傢伙被我姐甩了，而且根本沒察覺呢。
看他那副德性，也難怪啊。這傢伙可是會去別人田裡偷西瓜，混進自己的貨裡賣呢。
然後啊，叫她回來打個電話給我。我今年也很厲害喔。
大豐收咧。香瓜也採了這麼多呀。
走吧走吧，理會他不會有什麼好事。
推
唷！
拿一顆去吧，吃看看嘛。很讚喔！

哇！
啊哈！
咚—
呀！
我們是要去看電影耶，這真礙事。
ポン
我比較想吃爆米花。
沙—
沙—
？
沙—沙
西瓜男配合收音機播送出的森巴跳起舞來，而兩個女孩就這麼走到了電影院。

牧野大戲院
達男，借我騎啦。
幸男，門都沒有。
汪汪
幸男在那。
呵
妳們要這樣進去嗎？我要去跟老師告狀喔。
啥啊，你自己還不是一天到晚進去看。
兩張。
混帳！
哈哈，幸男，你想怎樣啊。
哼。
爛死了。
歡迎光臨。

嘿
爆米花。
我也要。
全都一百塊喔。
我等你喔!
偶爾付個錢嘛，很便宜啊。
好痛!
我沒那種閒錢啦。
別動啊。
痛
唷，經理啊，我可以去看電影吧。
喔
沙沙
沙沙
沙沙

呵呵呵
她們是B中的女生喔，聽說很愛玩，在我們學校也很出名喔。
面對那種女生啊，
先賞她們一拳就穩了啦。
你去試試看啊，幸男。
她們說會等你喔，幸男小弟。
達男哥。
嘖！
哼。

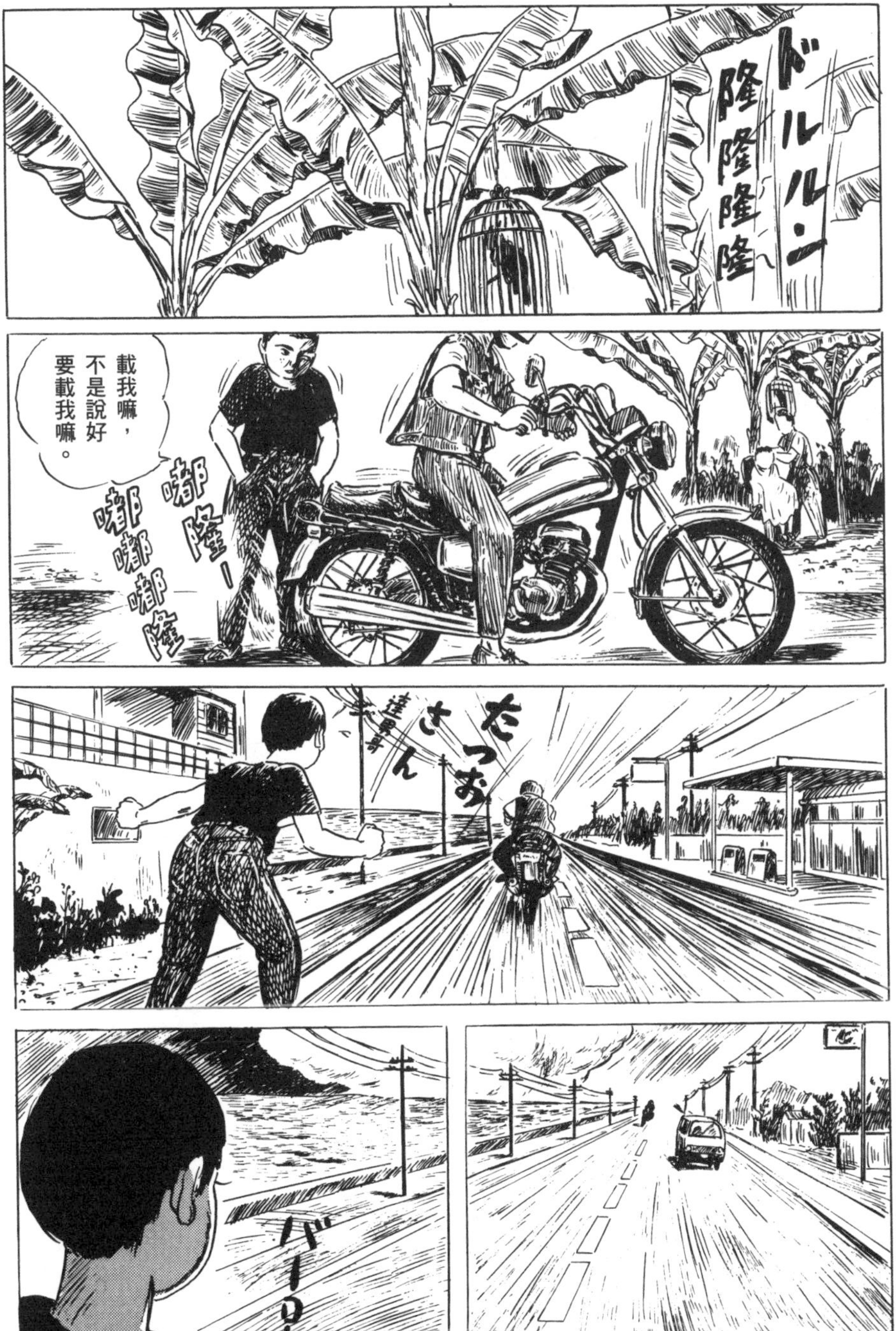
ドルルン
隆隆隆隆
載我嘛，不是說好要載我嘛。
嘟隆ー
嘟嘟嘟隆
たっおさん
達男哥
バーロウ

唷，美男子出爐囉。如何啊？我很行吧？
唰—
真怪的興趣…把沒人要去的電影院關一關，開理髮廳吧。
哎，不過達男哥也很冷淡呢，說實在的。
幸男，要不要搖呼拉圈？
欸，讓我試試。
如何？舒服嗎？
好冰喔！
哈哈哈
真棒耶，夏天理平頭。
你看，幸男弟弟，要這樣搖喔。
嘿嘿嘿
嘩啦嘩啦—

哇呀，好冰喔！
對了，我……
汪汪
牧野大戲
汪汪
趁機進去看電影吧。
牧野大戲院
嗚呀—！
汪汪
汪汪

叮鈴
叮鈴
汪汪
汪汪
真帥耶，跟達男天差地遠啊。
喀哩
喀哩
喀哩
喀哩

電影院
（男孩遇見女孩）
幸男抓了瑞穗的胸部
COCO'S，太陽下山了，我帶你進屋裡喔。
我等你喔
牧野大戲院
呵呵呵，你只會說這句嗎？

喀哩
喀哩
喀沙
喀沙
喀沙

喀哩
喀哩
喀沙
喀哩
喀哩
喀哩
唰
抓
喀哩
咻
噠噠
天啊，是色狼。
咦？

笨蛋，妳怎麼不大叫啊。
真的很吃驚的時候會發不出聲音啊。
リリリリリリリ
鈴鈴鈴
唷。
砰—
什麼樣的人？有沒有看到他的臉？
他慌慌張張地跑啦，蠢蛋似的。
牧野大戲院
世界上偶爾會冒出莫名其妙的人呢。
令人火大的事，一天總會發生一次呀。

瑞穗這陣子每天都會去海邊。
頻繁到泳衣都來不及晾乾。
穿濕濕的泳衣，感覺很噁心。
聽說是幸男呢。
咦？
他好像到處跟人說他幹了什麼好事耶。
那蠢蛋在想什麼啊？
無藥可救了。
他要怎麼補償我啊。

兩人決定了，在暑假期間一定要報復幸男。
ザーン
沙ー沙ー
她們漂浮在海浪之間，思考著各種報仇方法。

黃金時代 I

喃喃
……它打算緊閉眼眸，緊緊地……
……如此一來，四周便會化為一片黑暗。應該會真正地徹底暗去才對，可是……
咻
欸，詩那子，
我們回去了啦。

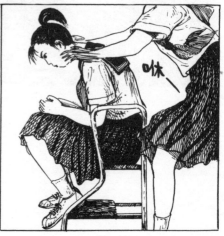

妳在讀什麼啊？
我啊，對妳有……
我們先回去囉。
掰掰，詩那子。
明天見。
麻美，我找到妳了
這是因為，它打算緊閉眼眸，緊緊地，如此一來……
四周便會化為一片黑暗。應該會真正地徹底暗去才對，可是……
……事情卻不如願……

櫃台
ゴッ
叩叩
ラン♪
啦啦
啊
啪啦
啪啦
ザー
沙
注意學童
バタ
バタ
啪噠
きゃあ
呀

咦？
討厭，我沒帶傘啊。
図書館
30
アハハハハ——
啊哈哈哈
パタパタ
啪噠
パタ
啪噠

破掉了呀。
為什麼大家翻書不小心一點呢。
被困住了…早知道就跟她們一起走。
……
咦?
喂,你們在做什麼啊?
カタン 喀答
喏
來這邊啊,不然會淋濕的吧。

哇
哎呀呀，
真可愛的客人呢。
叩
叩
真笨耶，竟然在那種地方躲雨。
嗯。
濕掉了啊。
全身濕透了耶，脫掉衣服比較好吧。
呼
呼
吁
你們一年級嗎？家住附近？
嗯。

會感冒喔！
你們可以待到雨停喔。
不過呢，麻美我……
啵ー
嚓
咦。
有火柴，所以不怕濕。
哎呀，小朋友不可以帶這種東西在身上喔。
給姐姐。
我不要。
我不會給任何人！
啊！
抓
啪
是誰？不要欺負人家啦。

不行喔，麻美，這很危險的。
おねがいかえしてぇ
拜託妳還給我
拜託妳啦。
不行。
可是那是我的啊！
啊
彈
打開手指啦！
咦？
麻美，請媽媽來接妳回去吧。
麻美小妹，喂。
不公平。
喀答

雨下個不停呢。
衣服都乾了。
妳知道家裡的電話吧。
火柴呀，等媽媽到這裡再還妳。
麻美小妹。
七二一……
四八九。
穿上衣服。
啊
等等，你們要跑去哪呀！
ザ沙
耶—
呀呀！

哎唷。
噠
喂！
……
您好，這裡是中央圖書館，您府上的千金……啥？
呃，不是的，不好意思，請問是淺野家嗎……
麻美小妹，這是怎麼一回事？
麻美。

那孩子說謊呢。
她在鬧我們玩呢，真是的。
カツン叩
啊
嘶
討厭，這不是內褲嗎？
咦？
呼
呼
噠
噠
啊！
噠
噠

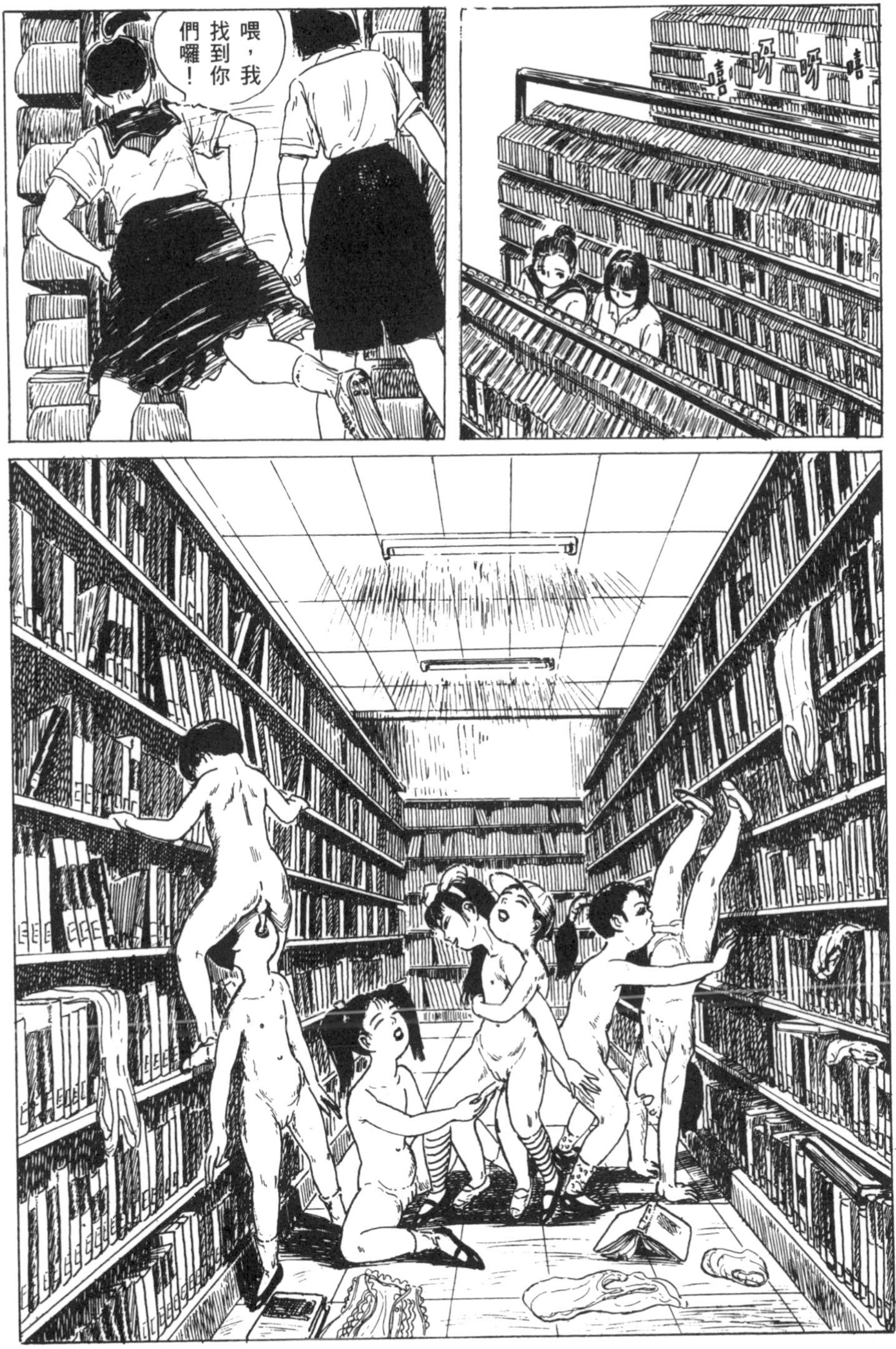
嘻呀呀嘻
喂，我找到你們囉！

你
你們在
做什麼
啊
我自己就
行囉。
咚恰
咚恰
啊ー
哇，她
尿尿了。
啊ー
這傢伙是
笨蛋啊。
啊…
髒死了。

書被……
呵呵
來，給我下來喔。
告訴我妳家電話。
我不知道。
她家沒有電話喔。
哈哈
那麻美告訴我真正的電話號碼。
パァン
啪

啊。
きゃあ
呀
啪ー
哇啊ー
嗚ー
哇啊ー
嘤ー
哇啊ー
啊ー
哇啊ー
嗚
嗚嗚
ウエッ
アン
アーッ
啊啊
喂，等等你們要去哪啊？

ザー沙
ザー沙
啊。
等等啊。
這些小孩是怎樣啊？

等等啊ー
嘩嘩
ジャッ
ジャッ
根本是在整我呀。

黃金時代 II

等等啊——
我追著孩子們，深入植物叢中。
我叫你們等等啊。

喂，出來啦。
不要造成我的困擾啦。

他們以為這裡是什麼地方啊。
竟然在圖書館做那種事。

麻美，
好冷喔。

正志。
佐和。
光市。
凜子。
愛子。
幸宏…
麻美。

不會有人罵你們了，
回家吧。
呀！

你們要做什麼啊！
喂！
唔…

呀！
ドス 咚
ハア 呼
住手啊！
嘔
ガツ 砰
呀！
ザッ 沙

ピクッ
抖
哇ー
呀ー
唔～
哇ー
麻美
咦

幸宏。

哎，雨能不能快點停呀。
麻美。

你們剛剛跑哪去了啊？
我很擔心耶。
叩叩
叩叩
剛剛真對不起，不該動手…
叩叩
叩叩
咦？
嘿咻！
嘿－
呀－
匡

哐啷
哐啷
哇—
呀—
ザッ
ジャッ
ザー
沙
ワー
哇
好冷喔。
ダッ
噠
ガチャッ
哐啷
我超討厭妳啦！
快逃
快逃
啊哈
妳一定會生病的啦！
パタッ
啪答

這些小孩是怎樣。
叩叩
カッ
真不敢相信……
叩叩
呀—
哇
カッ
カッ
叩叩
嘻嘻
嘻嘻

所有人
都給我乖乖
出來喔

我真的要生氣囉。
叩叩
叩叩
叩
叩叩
啊

雨停了，趕快回家吧
哇～
噠 タッ
アッ 啊
ウー 唔～
ウーン 唔ーン

繭子・理科教室

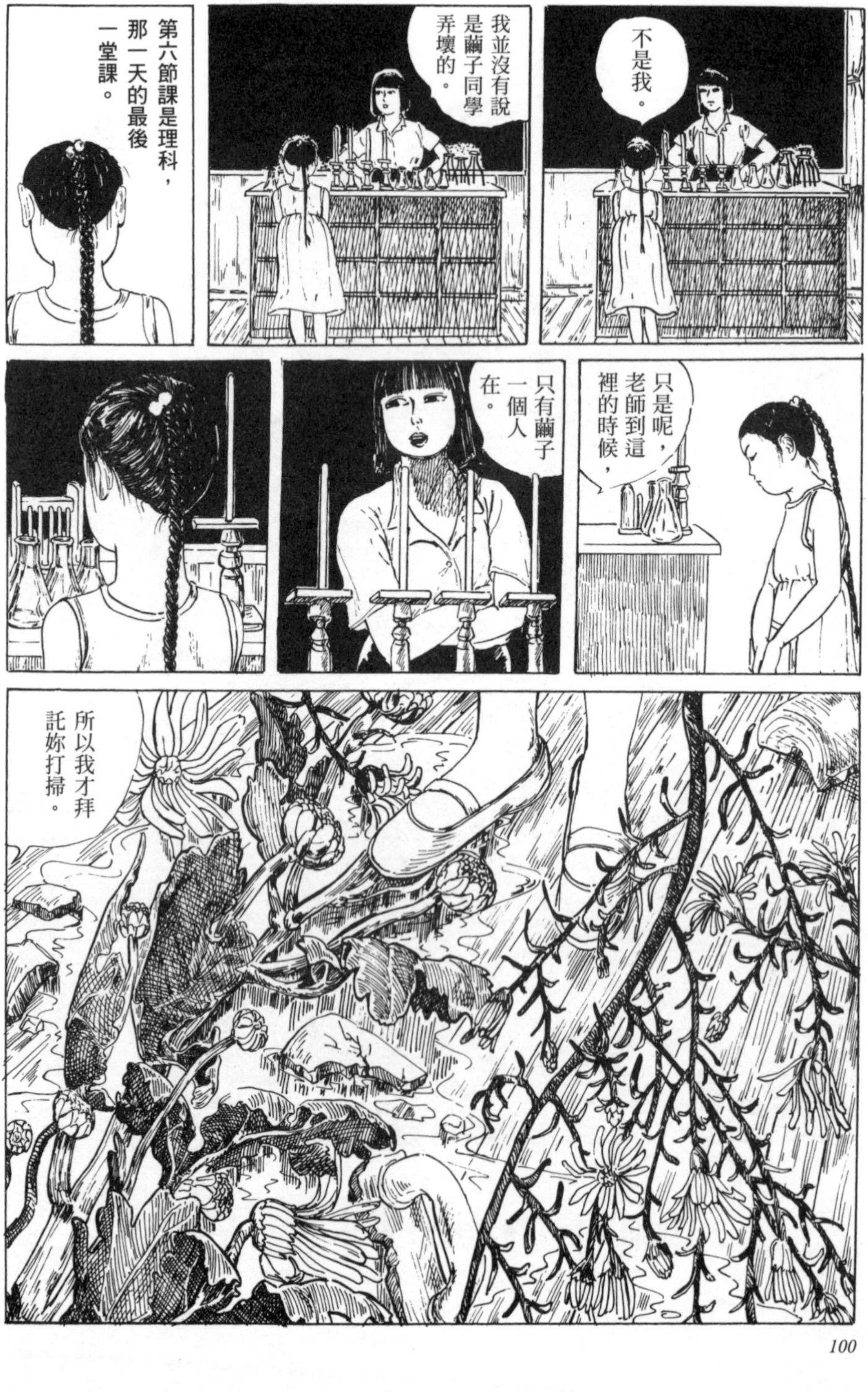
不是我。
我並沒有說是藺子同學弄壞的。
第六節課是理科，那一天的最後一堂課。
只是呢，老師到這裡的時候，
只有藺子一個人在。
所以我才拜託妳打掃。

對吧？
是的。
可是我來理科教室的時候，它就已經破掉了。而且，我原本一直跟梨奈她們在一起。
呃，藺子同學，
我沒有那種意思喔。
我說真的。
我知道了。那有沒有誰看到呢？
有誰看到打破花瓶的人嗎？

梨奈同學。
是
呃，我們下課時間都在一起。
不過繭子一個人先去了理科教室，
所以，呃…我，
我不知道是怎樣。
快樂的理科
大家應該都知道，我並不是想讓繭子一個人負責，
也不是想從同學之中選一個人出來警告。

對我們來說，失敗是一種附屬品。人不是完美的機器，
也不是神，很不穩定，很不可靠。
老師想說的是，希望各位發現自己犯錯時，
都要有老實反省之心，要謙虛。
フワ
知道什麼是謙虛吧？
藺子同學，妳知道吧？

知道。
但打破花瓶的人不是我。
哎呀，這是什麼態度啊。
啊。
於是，老師命令繭子放學後一個人打掃理科教室，作為處罰。
老師，
再見，直接回家，別在路上逗留喔。
再見。
好ー

哎唷，明明不是我打破的。
喀喀恰恰
理
每次都這樣嘛。
沙
沙
卻把我一個人當成壞人，臭罵我一頓。

哼！
喳
什麼都不知道還兇我，大蠢蛋！
嘰嘰
一天到晚在教室裡鬧的是吉村，還有那個新田正次啦。
扭
咻—
喳
在老師面前就裝乖。
什麼啊？這機器好古怪喔。

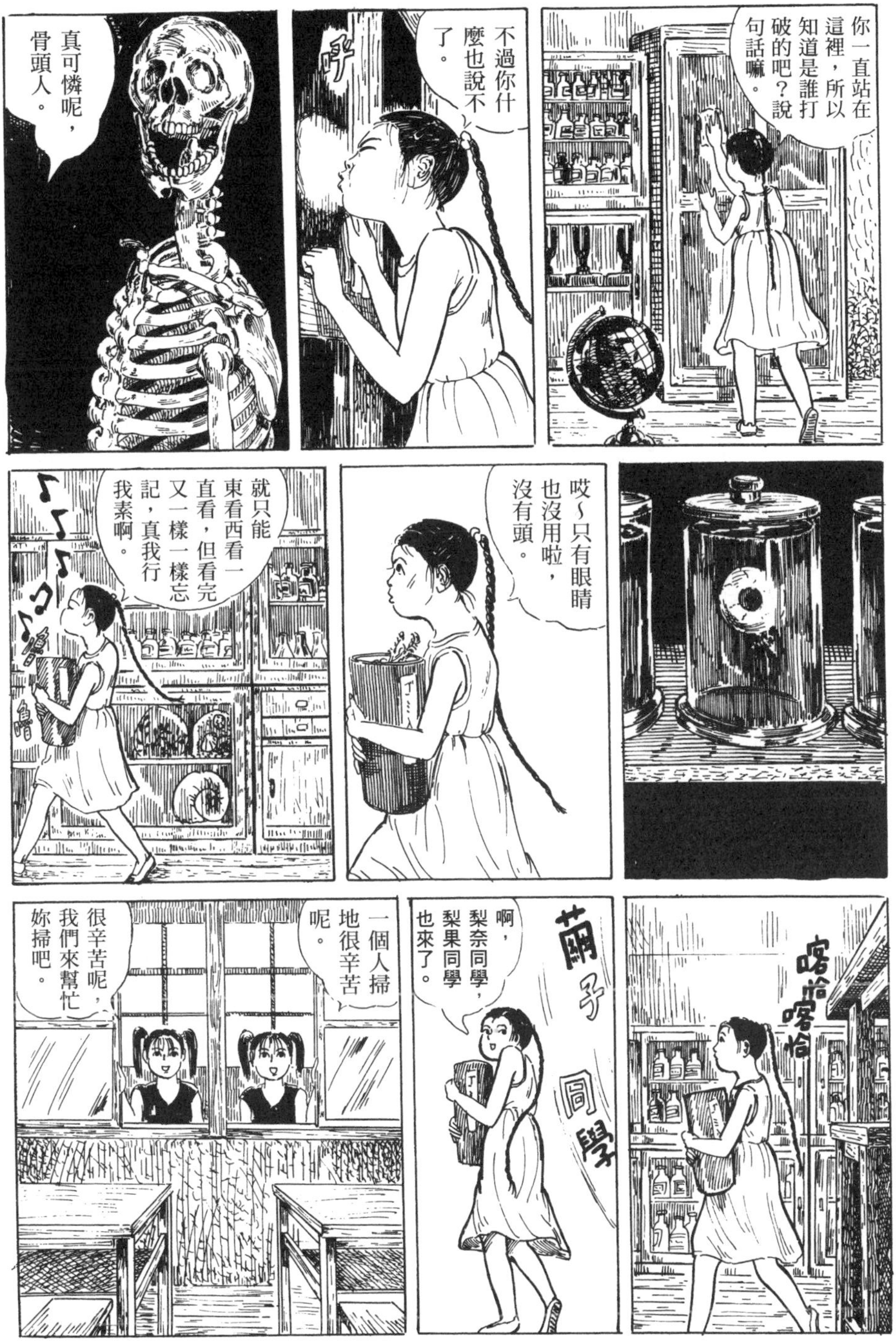
你一直站在這裡，所以知道是誰打破的吧？說句話嘛。
呼
不過你什麼也說不了。
真可憐呢，骨頭人。
哎~只有眼睛也沒用啦，沒有頭。
就只能東看西看一直看，但看完又一樣一樣忘記，真我行我素啊。
喀恰喀恰
蘭子同學
啊，梨奈同學，梨果同學也來了。
一個人掃地很辛苦呢。
很辛苦呢，我們來幫忙妳掃吧。

謝謝，但不用了，差不多掃完了。
是喔—
是喔—
可是藺子啊，妳不覺得老師對妳有點太嚴格了嗎？
對呀，為什麼呢？會不會是討厭藺子啊？
？
我們也討厭那個老師呢，對吧？
對，很討厭，討厭死了，那種臭老師。
我沒有那種想法…
是喔—
是喔—

不過，妳為什麼不道歉呢？
對啊，剛剛早點道歉不就沒事了？
可是我什麼也沒做啊，妳們明明就很清楚。
妳在說啥啊？
咦，什麼—？
亂說。
沒有一直在一起啊。
我們剛剛一直待在一起吧？
喀嗒
繭子明明就一個人先過來這裡。
我沒看到，所以不知道真相啊，不知道就沒話可說了呀。
唔
我說得沒錯吧？
……
喃喃低語

哼
嘩啦嘩啦
繭子同學還突然把我們的名字搬出來，
很傷腦筋耶。我們什麼都不知道，所以沒話可說呀。
很頭痛呢，就沒看到誰打破的嘛，要我們怎麼回答？
繭子同學確實是我們的朋友，
可是自己不知所措的時候也不該把我們的名字⋯⋯
對嘛。
那麼多人盯著我們，很丟臉耶。
哎唷，
就、就算我那樣說，實際上根本不重要嘛。

藺子同學是我們的死黨，
所以這件事之前就想對妳提個一次了。
藺子啊，有時候…
不太老實呢。聽得懂吧？
唔
捏
捏
那就再見囉
拜拜！
拜拜！
噠
噠
啊，這邊還髒髒的。
真的耶。
笨蛋

嘻嘻
嘻嘻
理科教室真噁心呢。
喀啦
嘻嘻嘻嘻
嘻嘻嘻嘻

哇—
妳這陣子真常被罵呢。
什麼啊，新田同學。
我什麼也沒做呀。
是新田吧？打破花瓶的人。
我不知道啦。
那就是吉村或加藤他們了，他們比我還早⋯⋯
啊—
啪

哇，你做什麼啊？
住手！
匡啷
我好不容易才掃起來的耶。
鏗ー
嚓啦
嚓啦
嚓啦
我不是叫你住手嗎？笨蛋！
ゴロン
滾動
我現在不爽到極點了喔。
呀呼ー
嘩啦
我受夠啦！
ポタッ
滴滴
嘿嘿嘿，到極點，到極點。

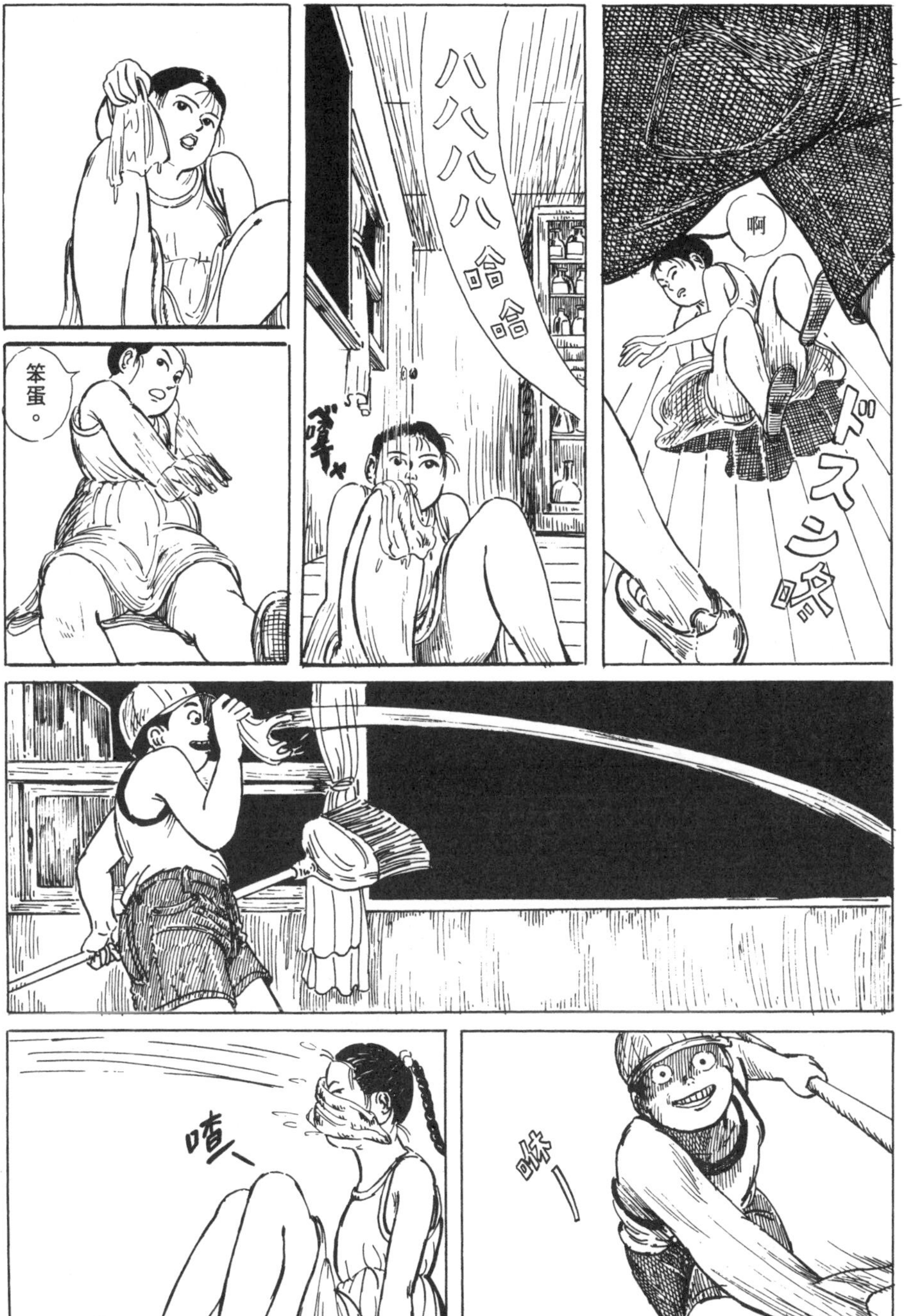
啊
ドスン咚
ハハハハ哈哈哈
笨蛋。
咻—
唷—

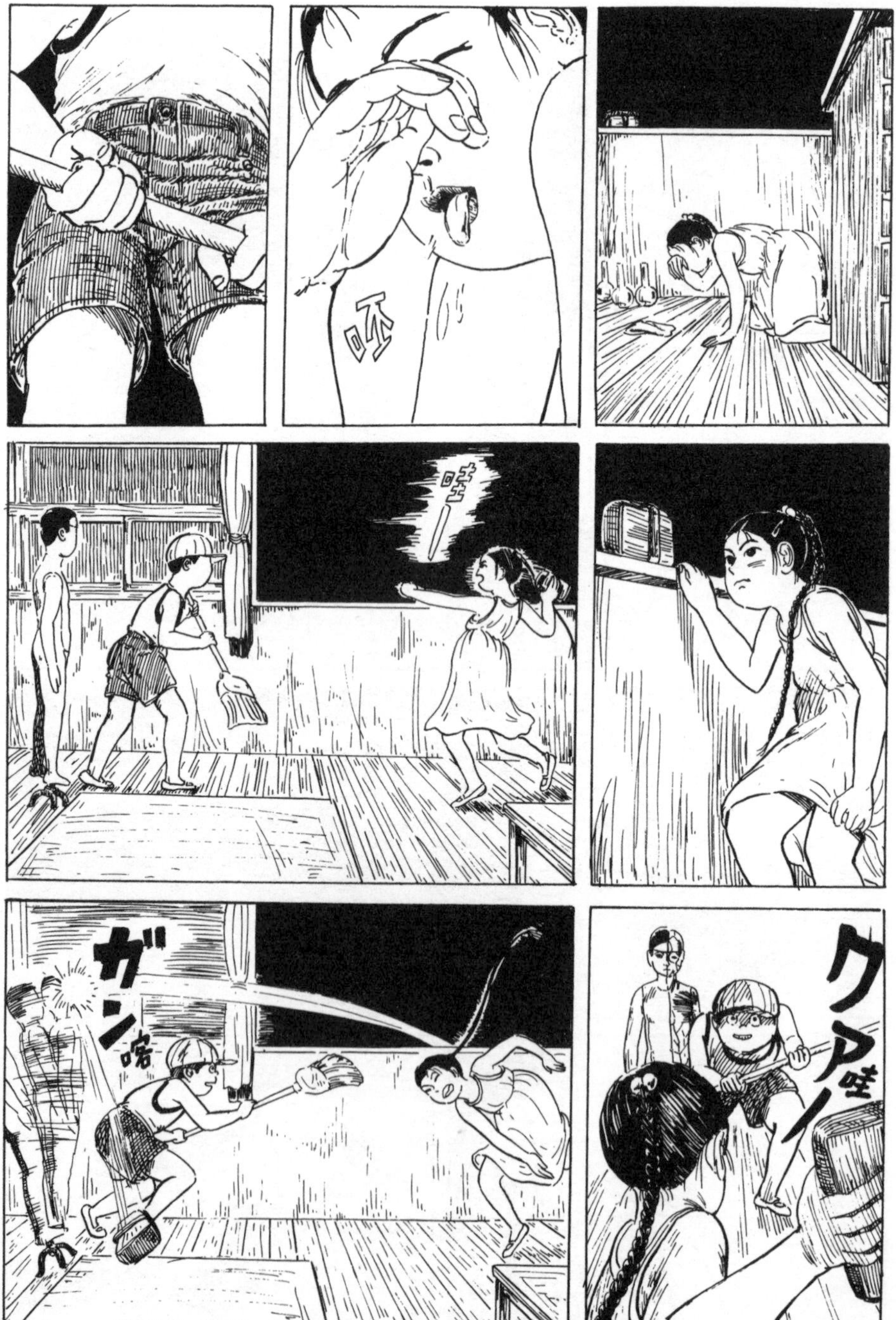
呸
哇ー
ガン
喀
ワア
哇ー

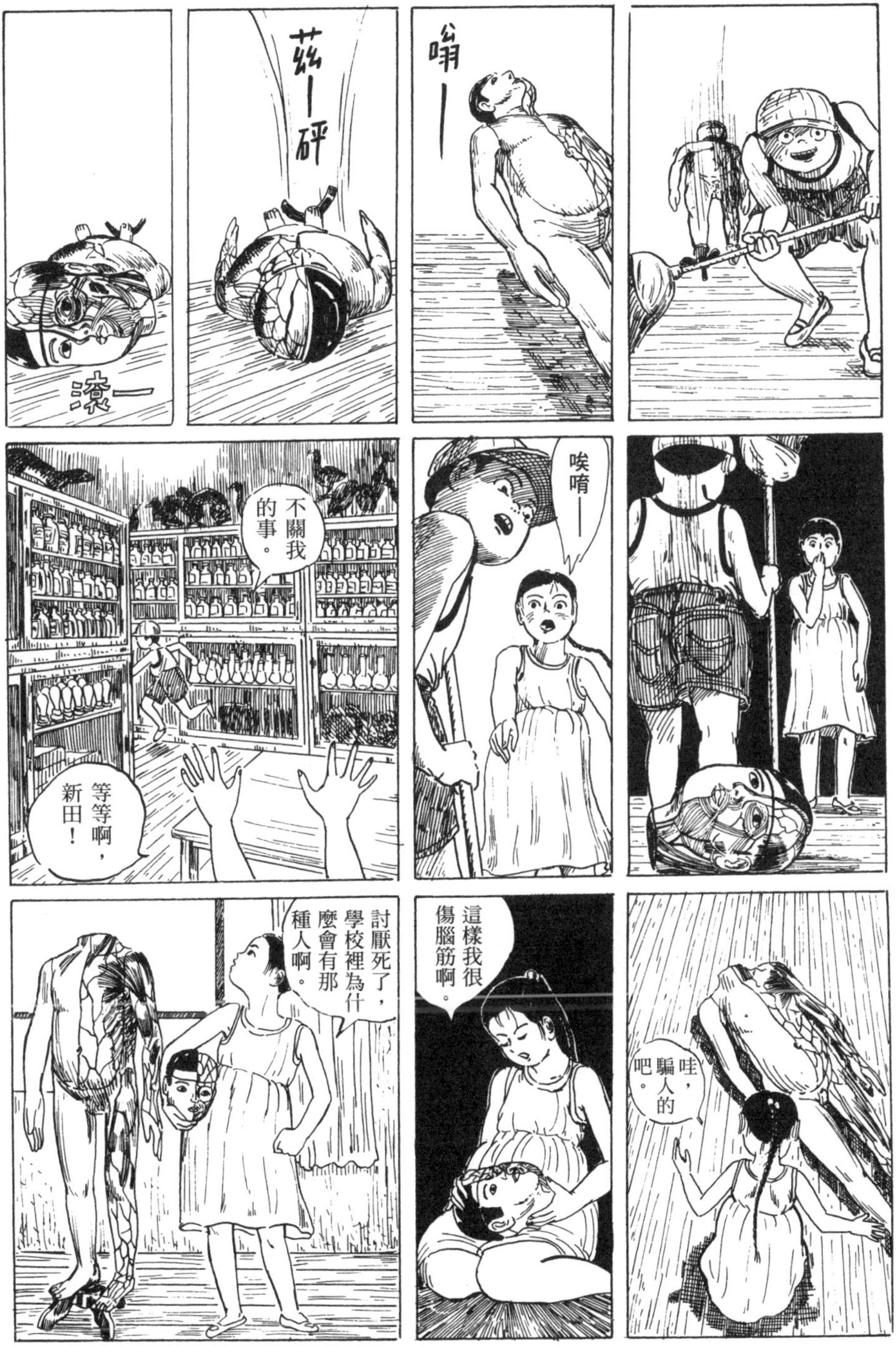
嗡—
茲—砰
滾—
唉唷—
不關我的事。
等等啊，新田！
哇，騙人的吧。
這樣我很傷腦筋啊。
討厭死了，學校裡為什麼會有那種人啊。

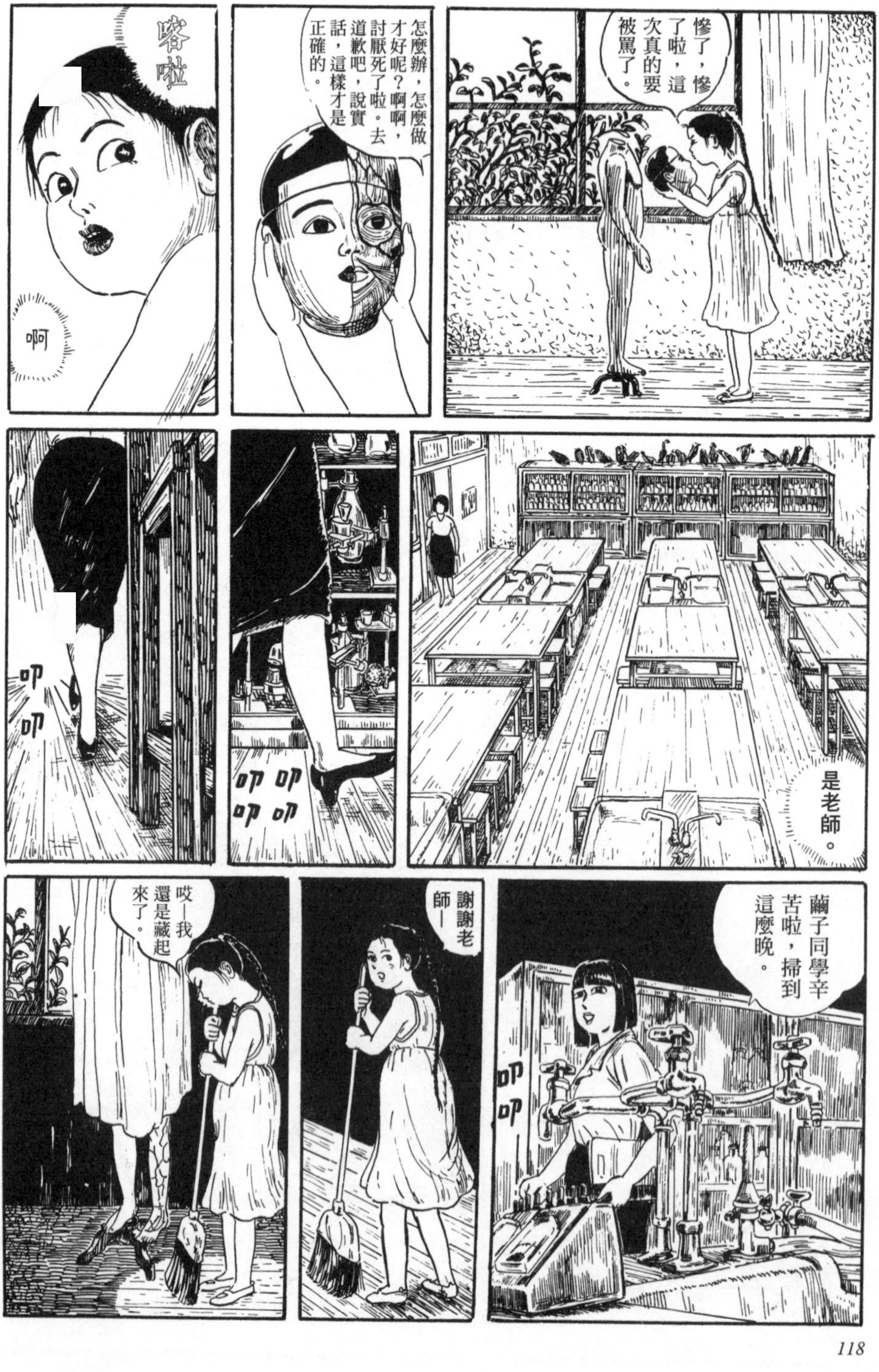
慘了，慘了啦，這次真的要被罵了。
怎麼辦，怎麼做才好呢？啊啊，討厭死了啦。去道歉吧，說實話，這樣才是正確的。
喀啦
啊
是老師。
叩叩叩叩
叩叩
繭子同學辛苦啦，掃到這麼晚。
叩叩
謝謝老師—
哎—我還是藏起來了。

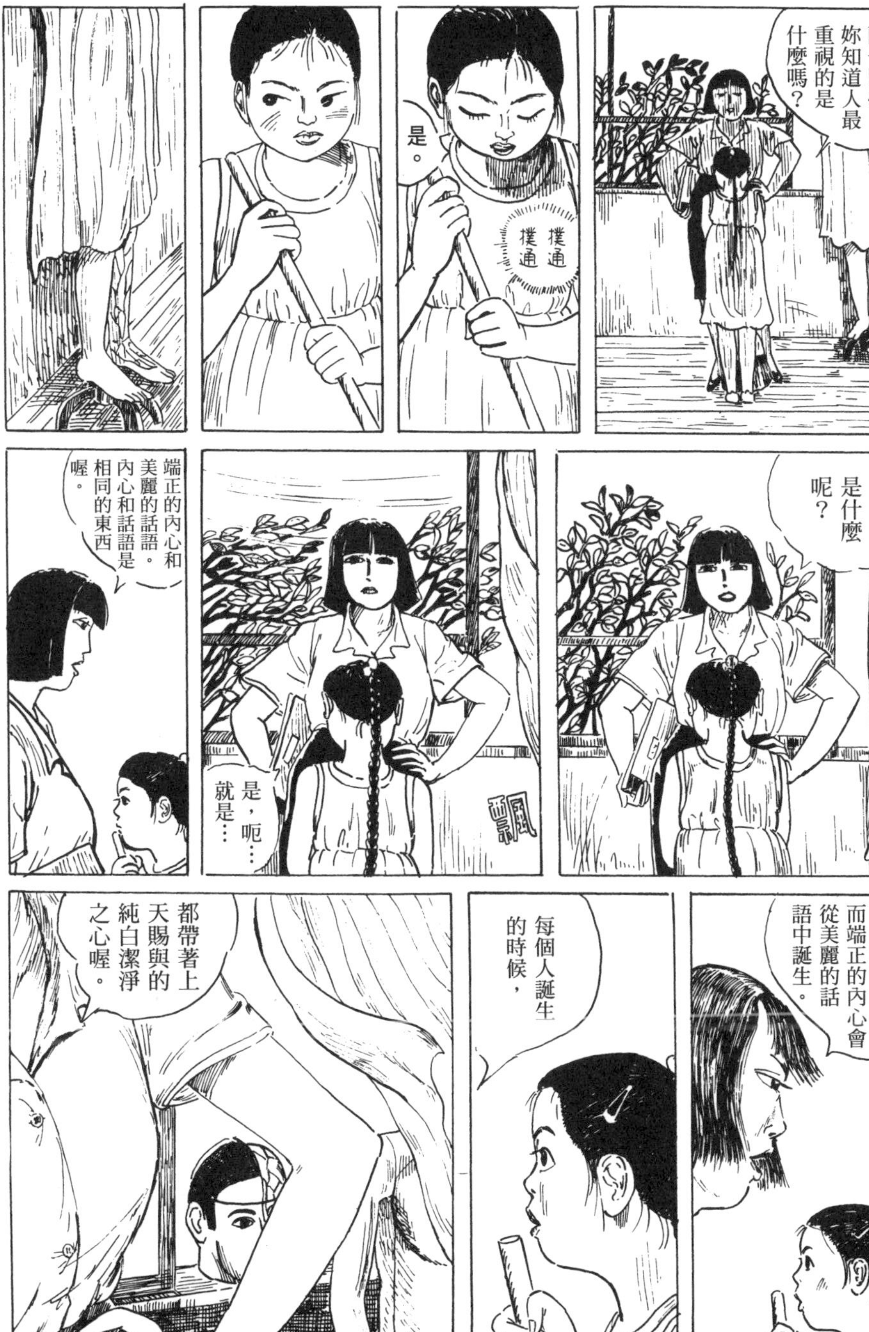
繭子同學，妳知道人最重視的是什麼嗎？
是。
撲通撲通
是什麼呢？
是，呃……就是……
飄
端正的內心和美麗的話語。內心和話語是相同的東西喔。
話語表達內心，而端正的內心會從美麗的話語中誕生。
每個人誕生的時候，
都帶著上天賜與的純白潔淨之心喔。

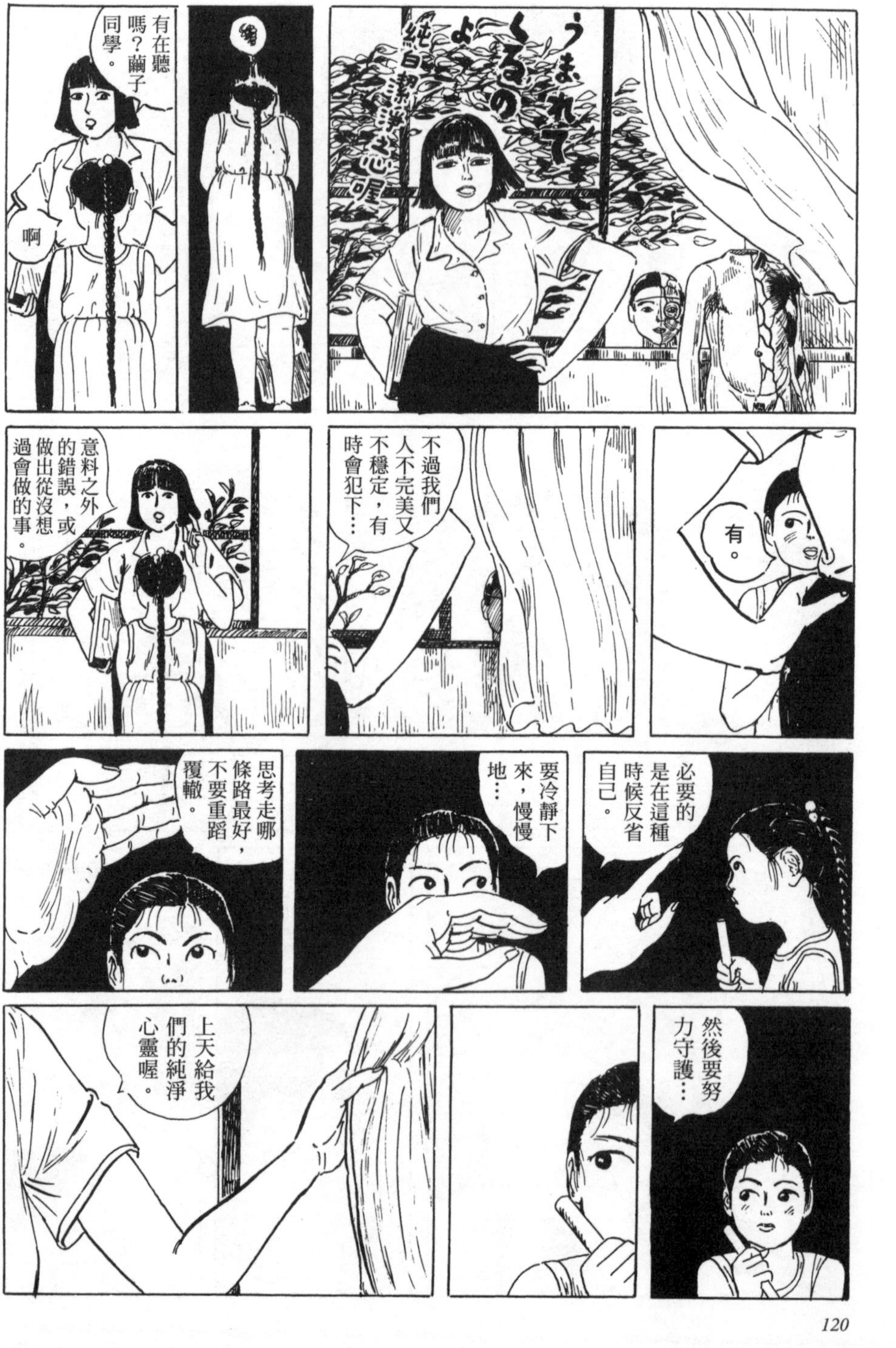

うまれてくるのよ
純白潔淨之心喔
有在聽嗎？繭子同學。
啊
有。
不過我們人不完美又不穩定，有時會犯下…
意料之外的錯誤，或做出從沒想過會做的事。
必要的是在這種時候反省自己。
要冷靜下來，慢慢地…
思考走哪條路最好，不要重蹈覆轍。
然後要努力守護…
上天給我們的純淨心靈喔。

欸，繭子同學，
聽得懂我說的話吧？
語言、動作、
叩
表情、眼睛，都會表現出內心喔。
叩
叩
啊——
叩
轉
繭子同學的眼睛，非常漂亮喔。
我，呃……
ザク
ザク

謝謝妳今天掃到這麼晚。
教室變得非常乾淨。
咚
滾~
啊—

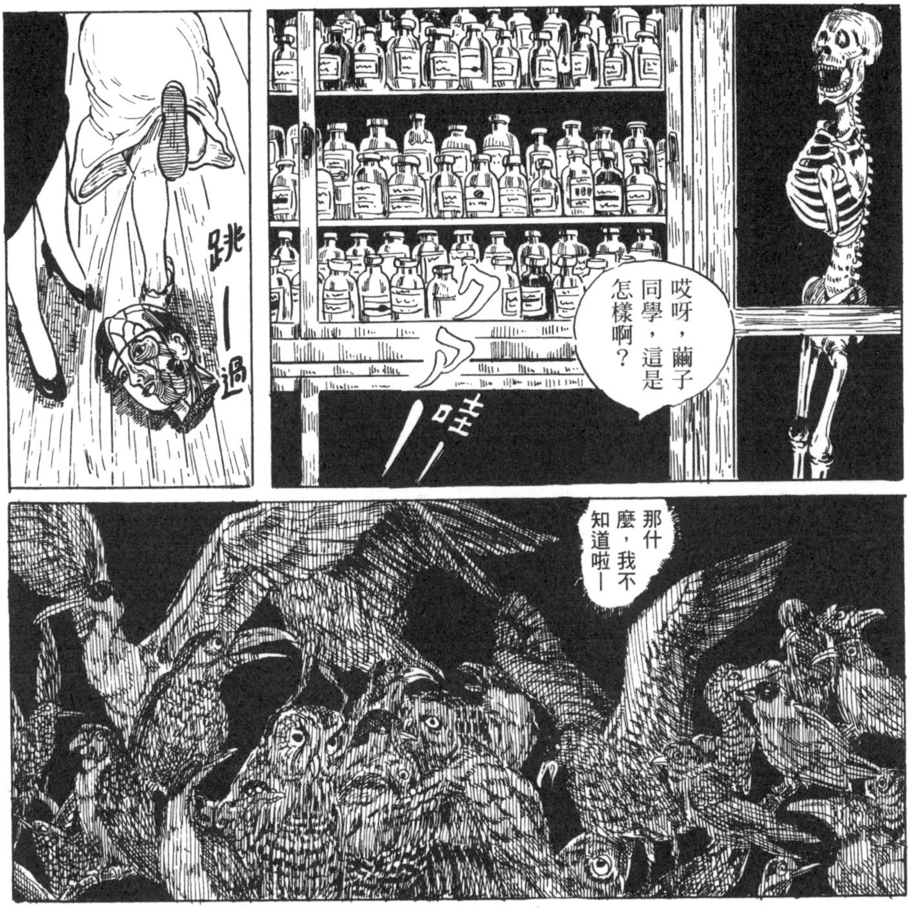
哎呀，繭子同學，這是怎樣啊？
哇
跳—過
那什麼，我不知道啦—
哇啊
噠
噠
噠
噠

食火雞的庭院

ゴソ
嘎吱
喀沙
妳不用睡嗎？
嗯。
咚
喔。
トン
咚咚
那明天開始回去上學喔。
咚咚
嗯。
スポッ
啵

不知從何時開始，
一隻食火雞躲進了
我的庭院某處。

牠會突然現身，啄食顏色
比火還紅的火刺木果實。

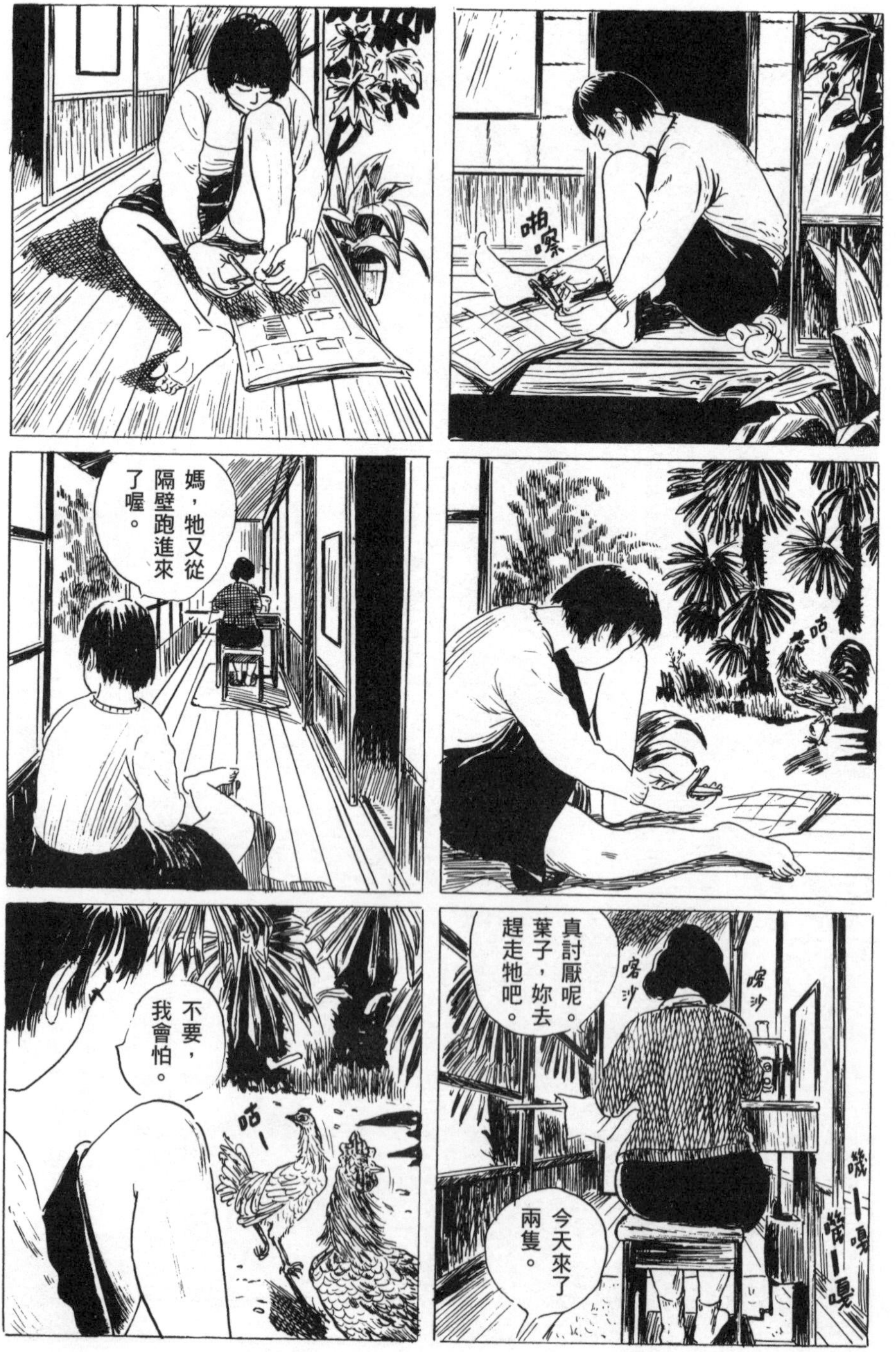
啪嚓
咕ー
媽，牠又從隔壁跑進來了喔。
真討厭呢。葉子，妳去趕走牠吧。
唰沙
唰沙
今天來了兩隻。
嘰ー嘎
嘰ー嘎
不要，我會怕。
咕ー

咯ー
又不是普通的雞。喙長成那樣，爪子也很大啊。
不知道是從哪進來的呢。
喀恰
圍牆的縫隙啊。
只要有一點點縫，鳥就能從任何地方跑進來。
劈嚓
牠們是來吃院子裡的火刺木果實啦。

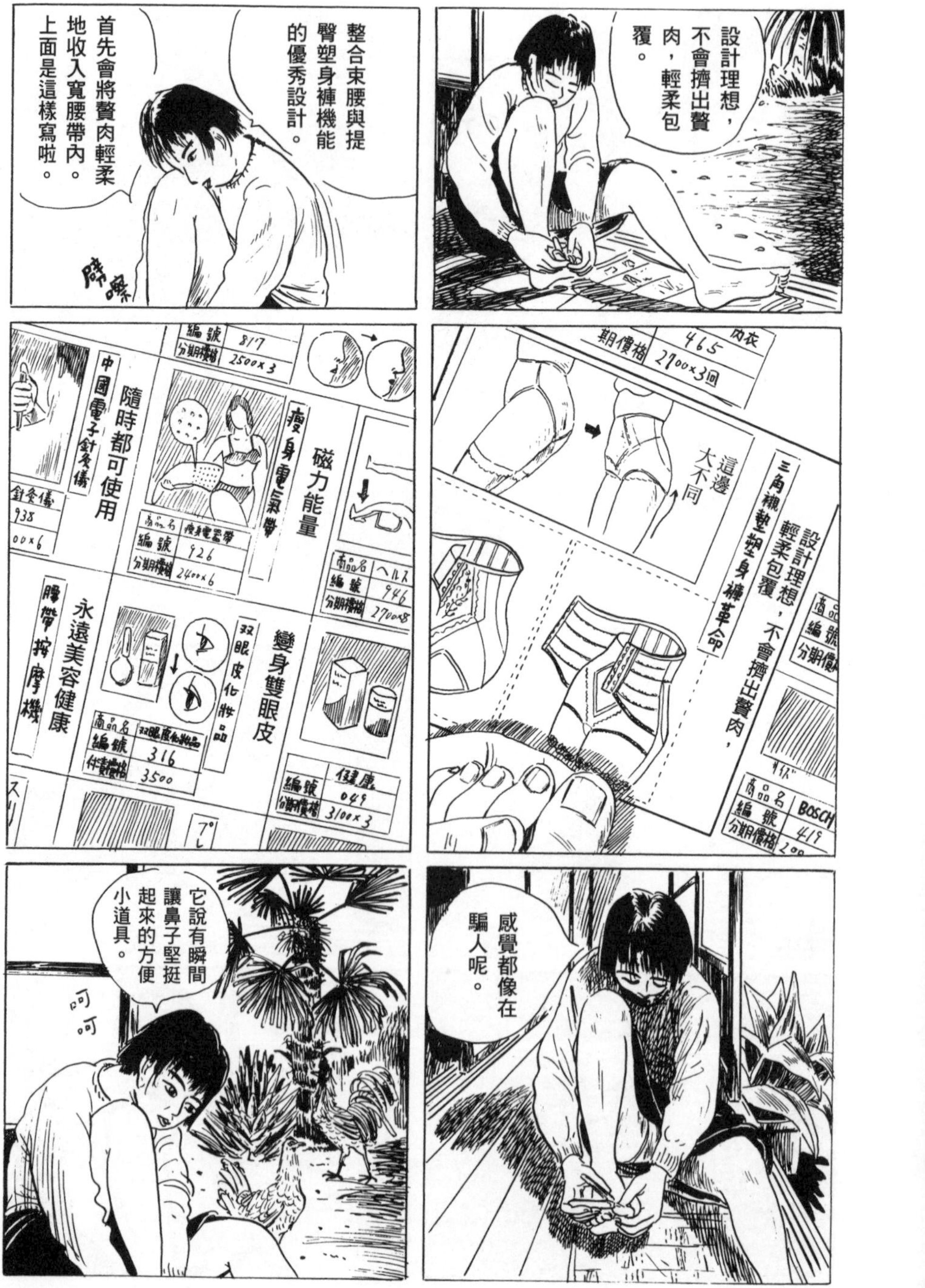
設計理想，不會擠出贅肉，輕柔包覆。
整合束腰與提臀塑身褲機能的優秀設計。
首先會將贅肉輕柔地收入寬腰帶內。上面是這樣寫啦。
內衣
465
期價格 2700×3回
這邊大不同
設計理想，輕柔包覆，不會擠出贅肉，
三角褲型塑身褲革命
商品名 BOSCH
編號 419
分期價格
編號 817
分期價格 2500×3
中國電子針灸儀
隨時都可使用
針灸儀
938
瘦身電氣帶
磁力能量
商品名 瘦身電氣帶
編號 926
分期價格 2400×6
商品名 ヘルス
編號 946
分期價格 2700×8
變身雙眼皮
双眼皮化粧品
永遠美容健康
腰帶按摩機
商品名 双眼皮化粧品
編號 316
分期價格 3500
健康
編號 049
分期價格 3100×3
感覺都像在騙人呢。
它說有瞬間讓鼻子堅挺起來的方便小道具。
呵呵

妳果然是不肯去上學。
才不是咧，我睡到剛剛喔。
阿姨好。
久子呀，不好意思耶，害妳擔心了。
那你到底怎麼了？三天耶。
就感冒發燒，
頭變得很重，很暈，很不舒服，而且還低血壓，還有什麼去了⋯

端杯茶給久子吧。
嗯，喝茶吧。
只喝茶？
遲緩
只喝茶。
這隻雞是什麼時候開始養的啊？
咦？
啊，那個呀，
嘰—嘎
不是我們家養的喔，是從鄰居圍牆的縫隙跑進來的。
我叫葉子把牠趕走，
但她嫌麻煩。

去
去
去

坐
久子，喝茶吧。
我把牠趕到圍牆附近了……但沒順利趕走呢。
喀沙
呼
噗—嘎
噗—嘎
不只茶喔，呵呵。
還有鹿子餅咧。
喔，是鹿子餅嘛。

窣—
窣—
茶有點澀呢。
嗯，有點澀。
咕
牠是為了吃火刺木果實才跑進我們家院子的。
窣—
就是這種紅色果實吧？
窣—
早上還會有更多種小鳥飛過來吃喔。
久子，吃鹿子餅吧。
嗯，差點忘了。

啾—
啄—
啄啄啄
這邊好溫暖，很舒服呢。
窣—
窣—
我喜歡坐在這裡看小鳥吃果實。
鳥不管吃什麼，都吃得津津有味呢。
嚼嚼
是喔—
動作很快、很有節奏、又很認真。
咬
這樣啊。
久子，多吃點鹿子餅。
窣—
沙—

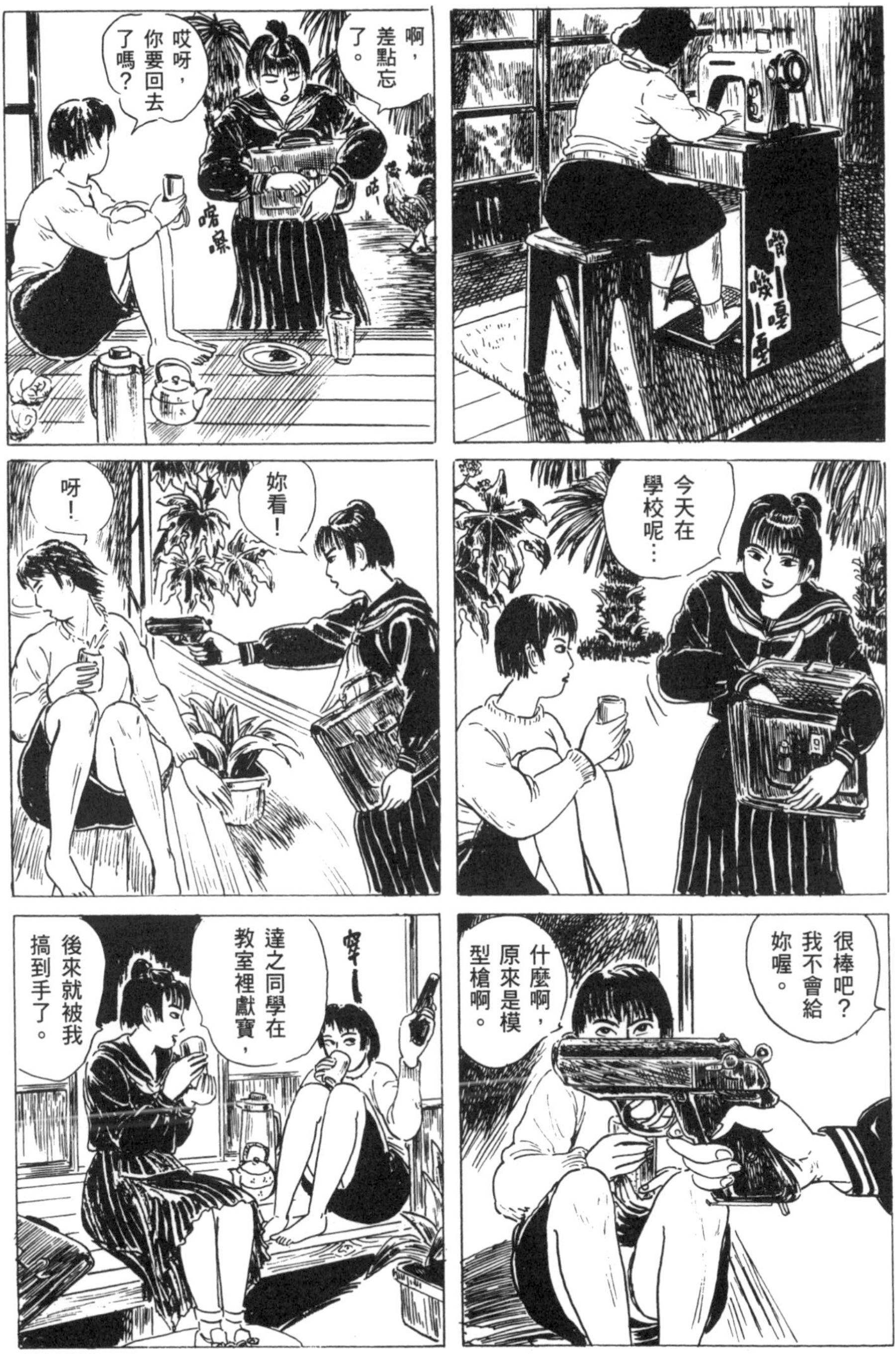
噠—嘎
啊，差點忘了。
哎呀，你要回去了嗎？
喀嚓
咕—
今天在學校呢…
妳看！
呀！
很棒吧？我不會給妳喔。
什麼啊，原來是模型槍啊。
達之同學在教室裡獻寶，
後來就被我搞到手了。
喀—

為什麼搞得到啊？
達之對我有意思，我拜託他他拒絕不了。
可是，那是達之同學的寶物吧？
所以我獻上嘴唇當作交換啊。
咦—不會吧。
真的嗎？騙我的吧。
達之同學說明天要帶火藥和子彈給我喔。
不過這次要給他什麼當作交換呢？
砰！
砰—

喀嚓
唷，葉子啊，上國中還挺開心的啊，找到方法就會開心了呀。
那明天見囉。
弄到火藥和子彈後就讓妳開槍。
久子回去了，結果那隻鳥不知不覺間也走了呢，呵呵呵。
啊
還有沒剪到的。
啪喀

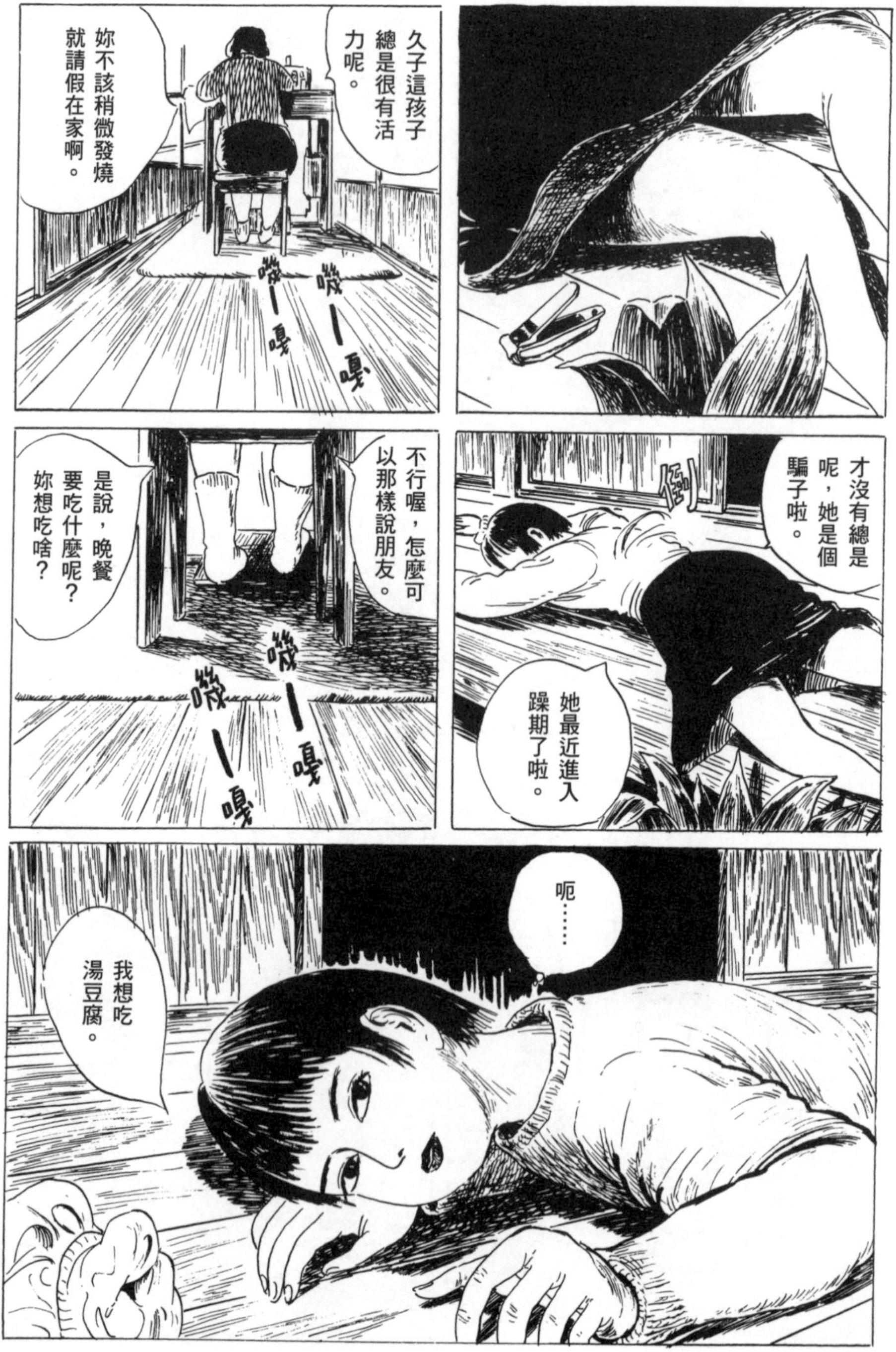
久子這孩子總是很有活力呢。
妳不該稍微發燒就請假在家啊。
嘰—嘎
嘰—嘎
才沒有總是呢，她是個騙子啦。
倒
她最近進入躁期了啦。
不行喔，怎麼可以那樣說朋友。
是說，晚餐要吃什麼呢？妳想吃啥？
嘰—嘎
嘰—嘎
呃……
我想吃湯豆腐。

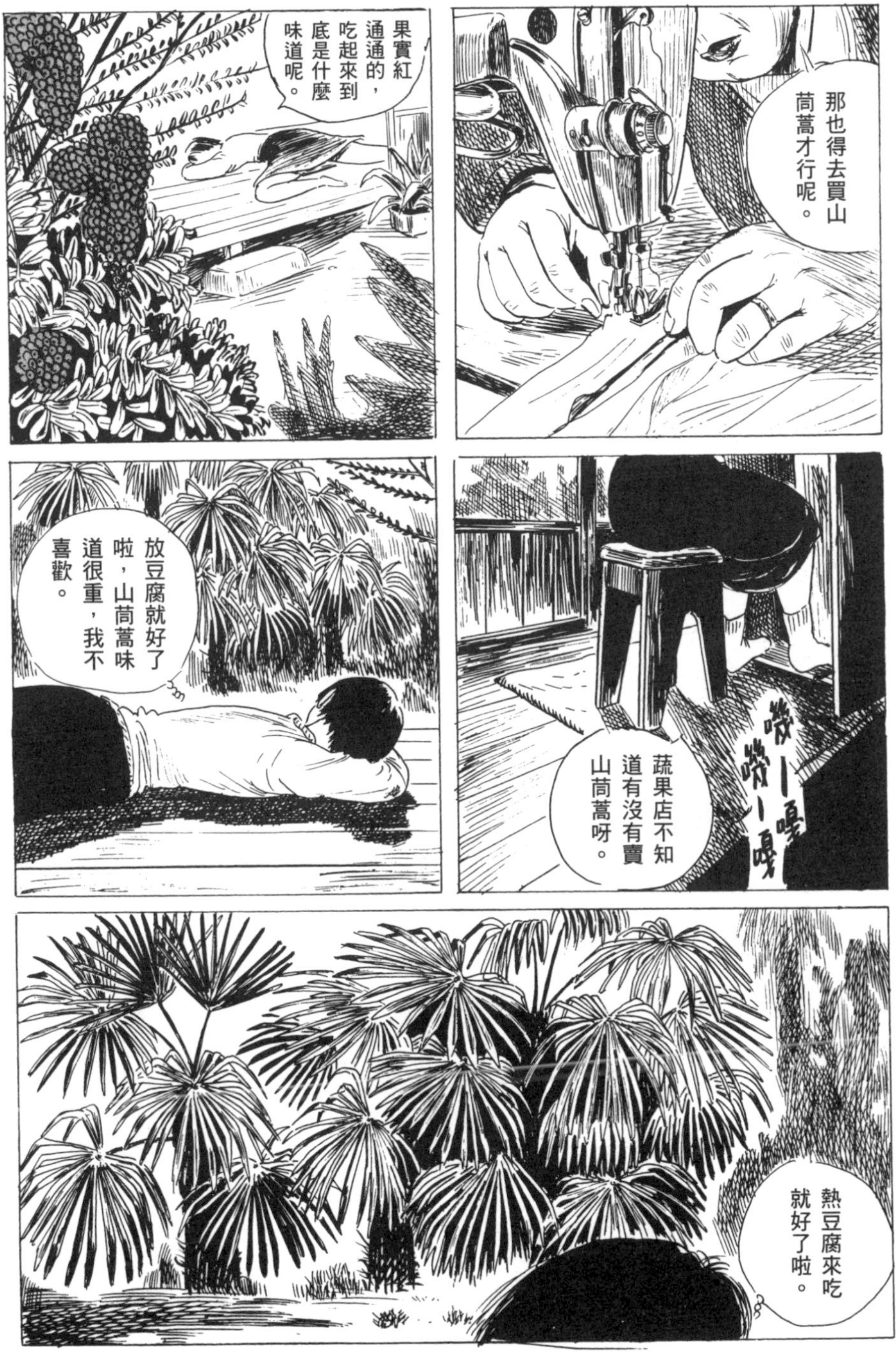
那也得去買山茼蒿才行呢。
果實紅通通的，吃起來到底是什麼味道呢。
蔬果店不知道有沒有賣山茼蒿呀。
放豆腐就好了啦，山茼蒿味道很重，我不喜歡。
熱豆腐來吃就好了啦。

沙沙
ざわわわ
窸窣

還要買鹽漬鱈魚和熬湯用的昆布呢。葉子，拜託妳去跑腿囉。
嘰—嘎
嘰—嘎
嘰—嘎
嘰—嘎

山茼蒿也
別忘囉。
嗯。

瑞穗與林子

夏天的貓啊，
總是會佔好最
涼爽的地方。
苦瓜瞬間就
熟透了。
咚ー
グチョ
咕喳
ガサッ
唰沙
食蝸步行蟲的食慾
一如往常。

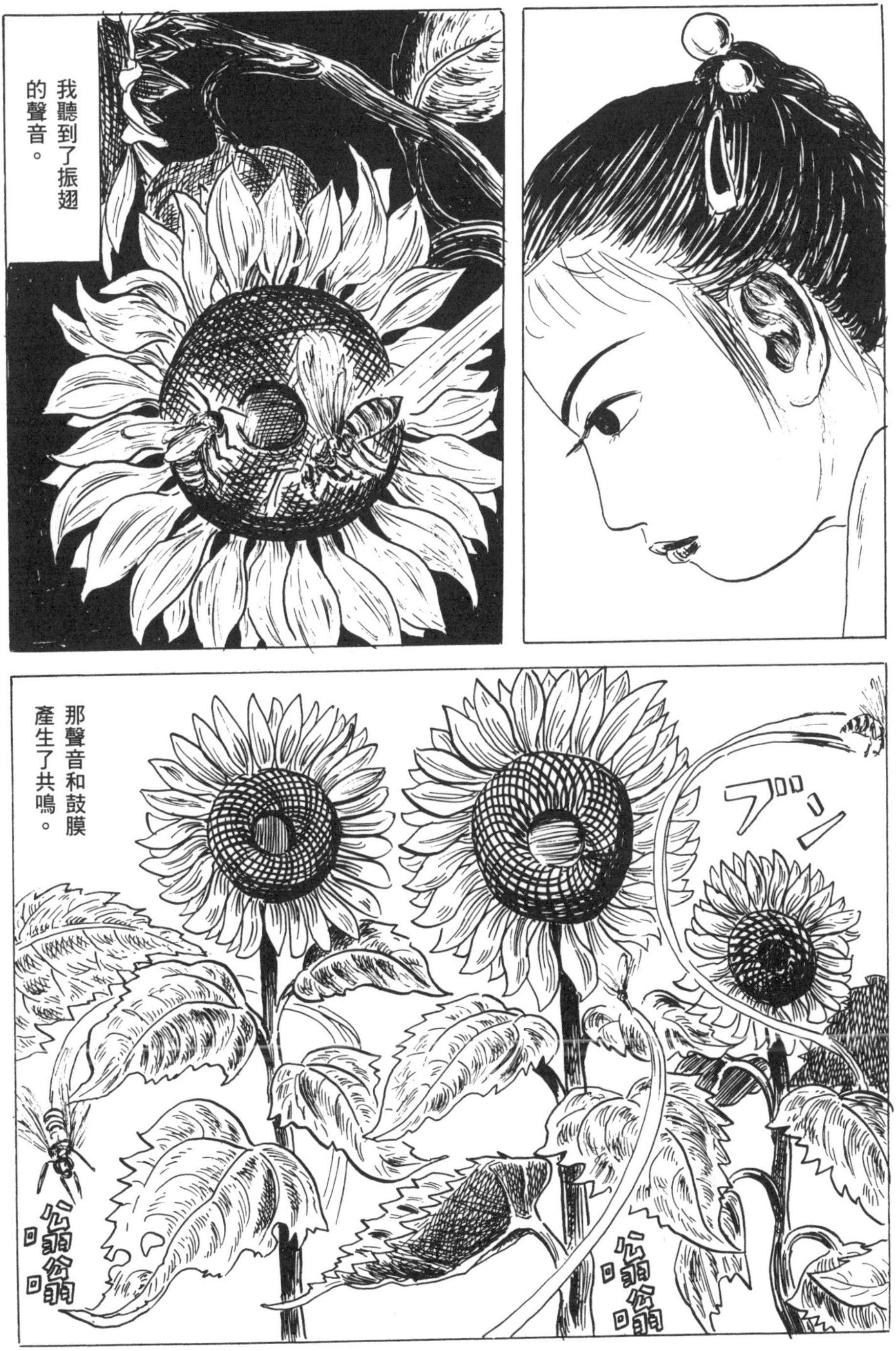
我聽到了振翅的聲音。
那聲音和鼓膜產生了共鳴。
ブン
嗡嗡
嗡嗡

喀啦

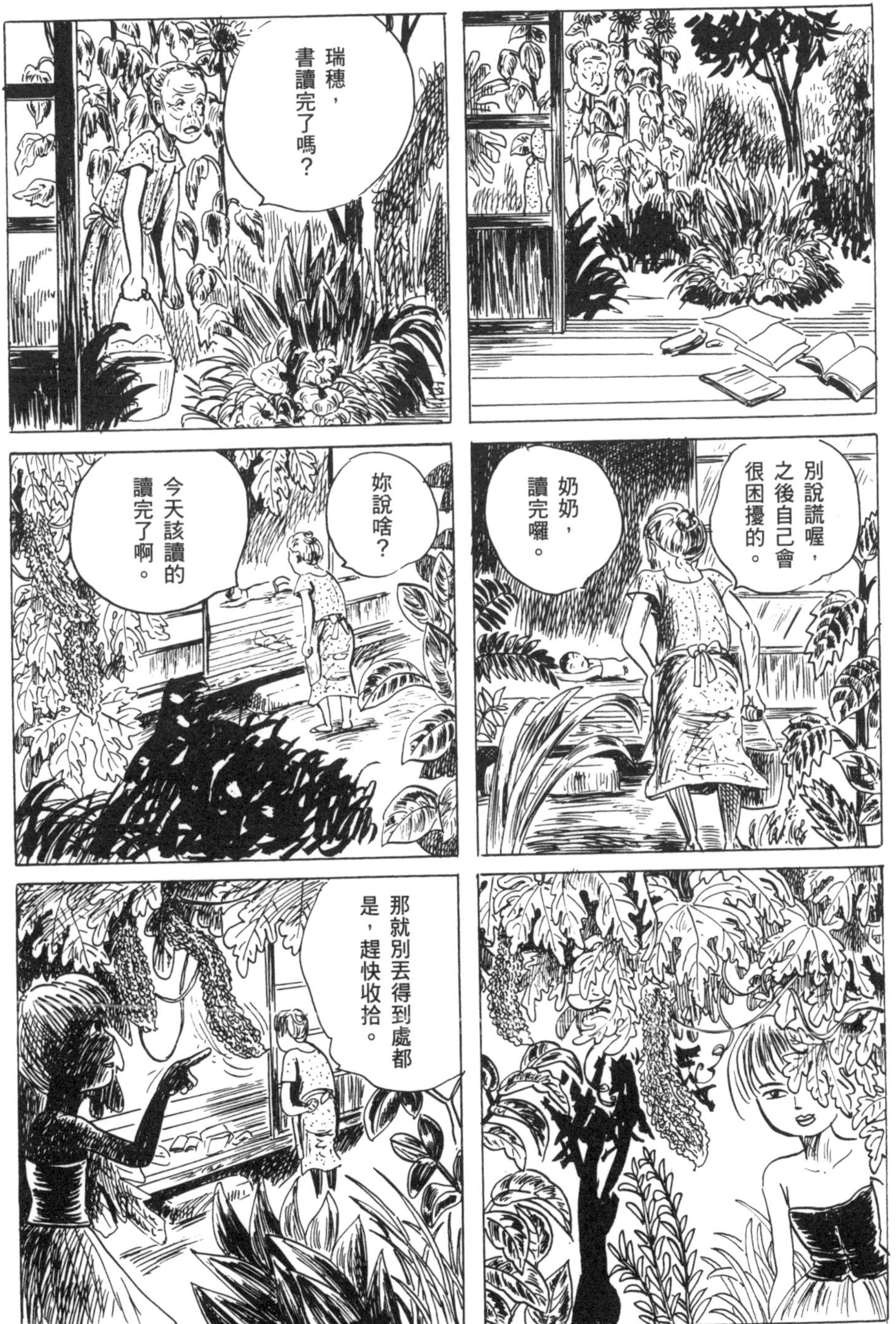
瑞穗，書讀完了嗎？
奶奶，讀完囉。
別說謊喔，之後自己會很困擾的。
妳說啥？
今天該讀的讀完了啊。
那就別丟得到處都是，趕快收拾。

聽好囉，我現在要去海邊取沙。
我回來之前要整理乾淨喔。
瑞穗漸漸學壞了。
嗡～嗡
真傷腦筋啊。
嘿嘿嘿，被罵了，被罵了。
妳被奶奶罵了。
跳跳
ピョン

瑞～穗～
一起玩吧。
才不要咧，我接下來要睡午覺了。

嘿嘿嘿
打起精神啊，瑞穗。
……
只不過是被奶奶罵，不要露出苦瓜臉嘛。
不久後就會碰到好事啦。

妳奶奶去海邊做什麼？
挖沙回來啊。
挖沙回來做什麼？
炒花生吧。
為什麼炒花生要用沙子？
吵死了啦。

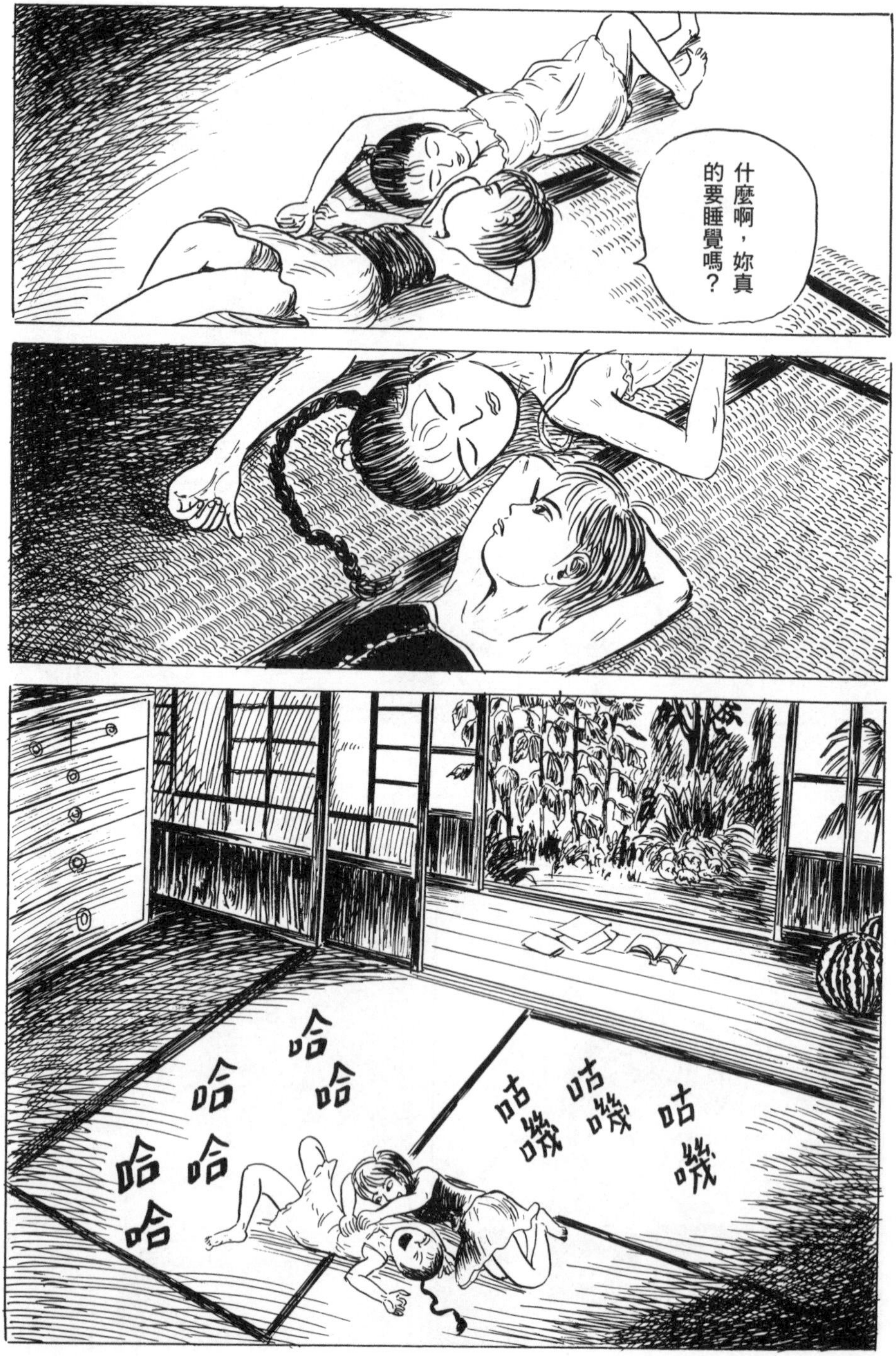
什麼啊，妳真的要睡覺嗎？
咕嘰咕嘰咕嘰
哈哈哈哈哈哈

ゴロ
滾動
住手啦。
哼，我不會停的喔。
啊。

咯
ケーッ
如何啊？
認輸了吧？

動得了的話
就動看看啊。
痛！
パーン
啪

パーン
啪
呀
アッ
啊
ぐっ
唔

ブン
嗡嗡
ブン
唔
くっ

嚇—
呼—
啊啊啊
笨蛋
對不起啦

タッ
噠噠
咕
咚
噠噠

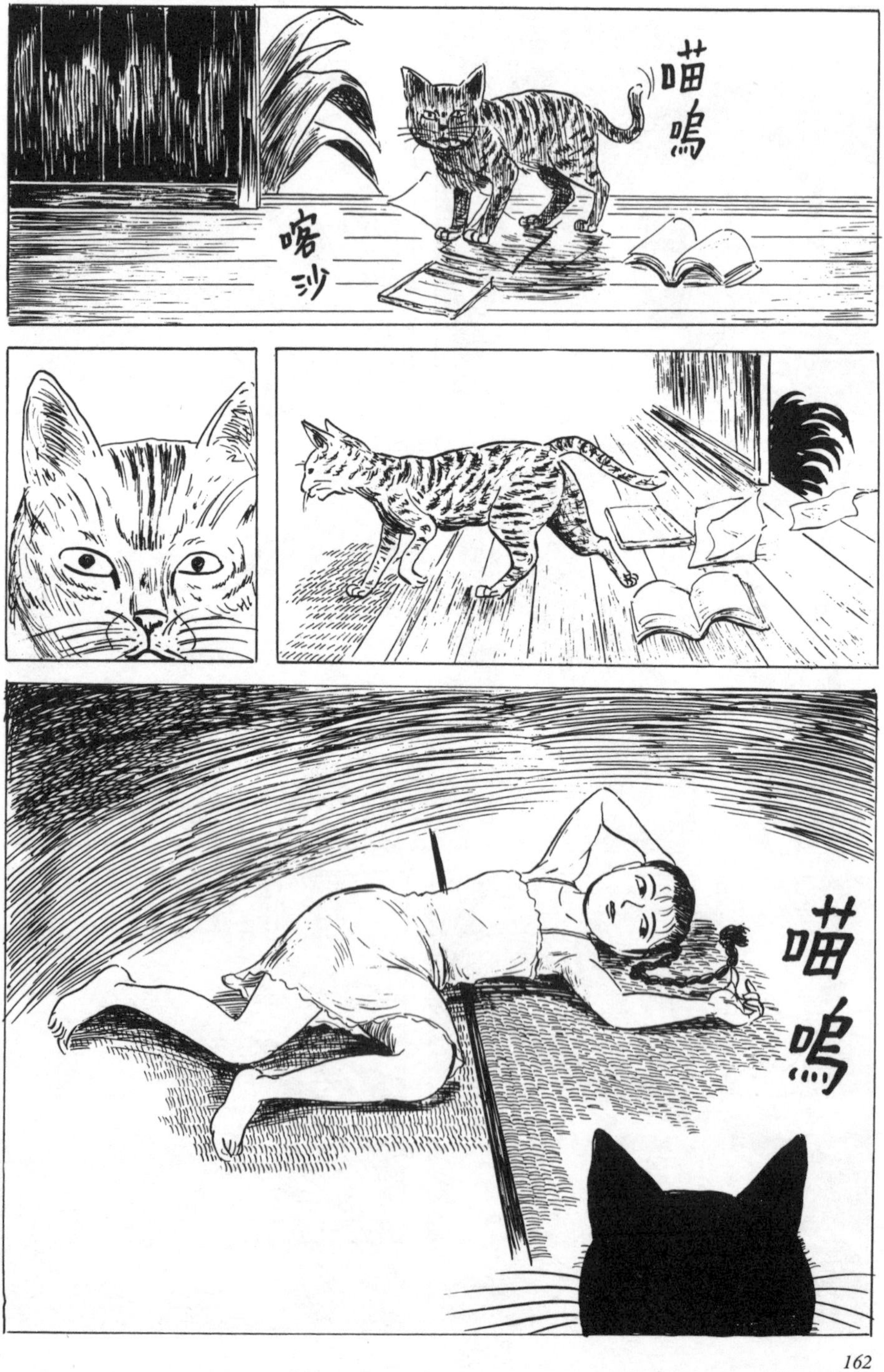
喵嗚
喀沙
喵嗚

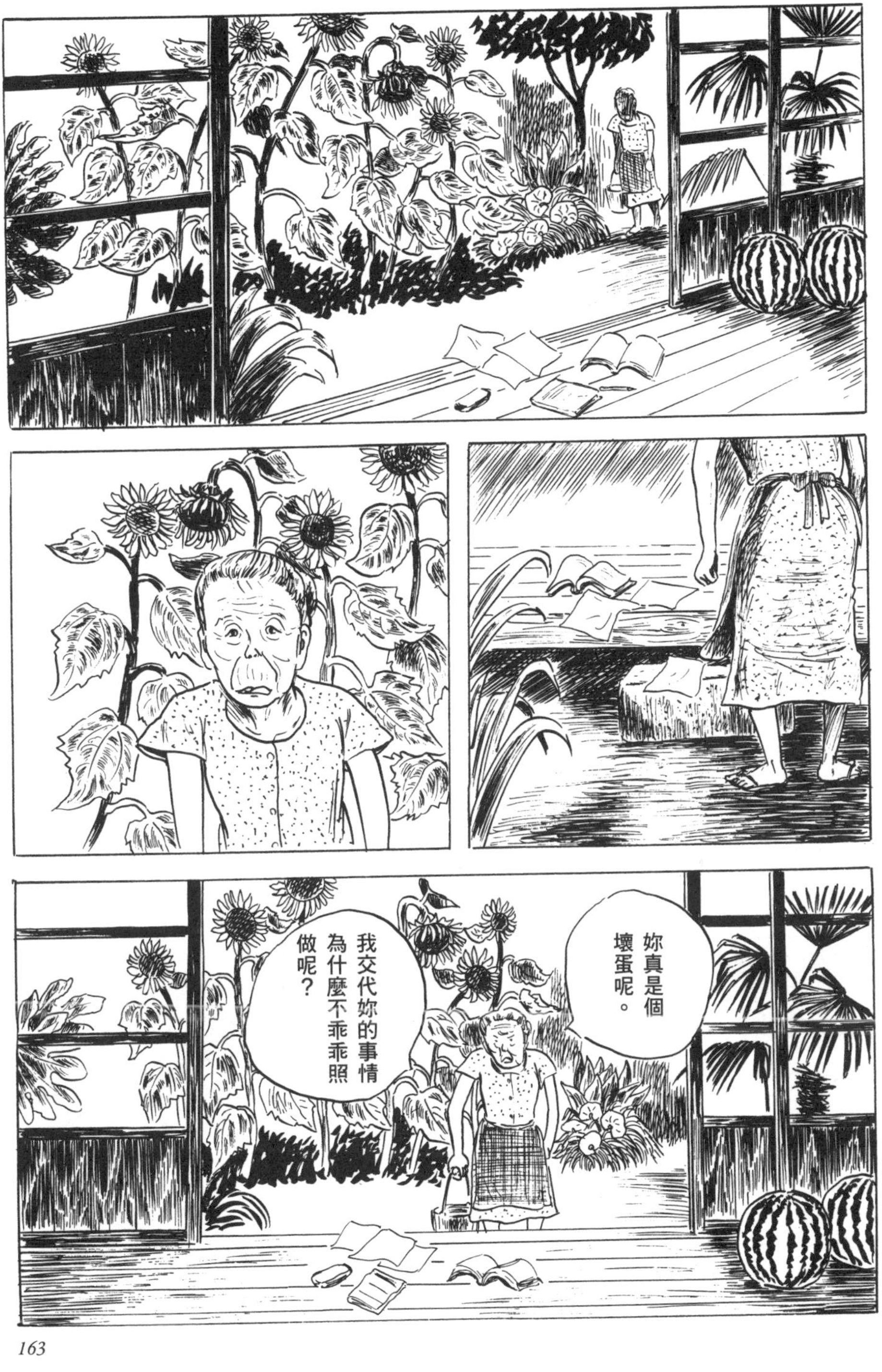
妳真是個壞蛋呢。
我交代妳的事情為什麼不乖乖照做呢？

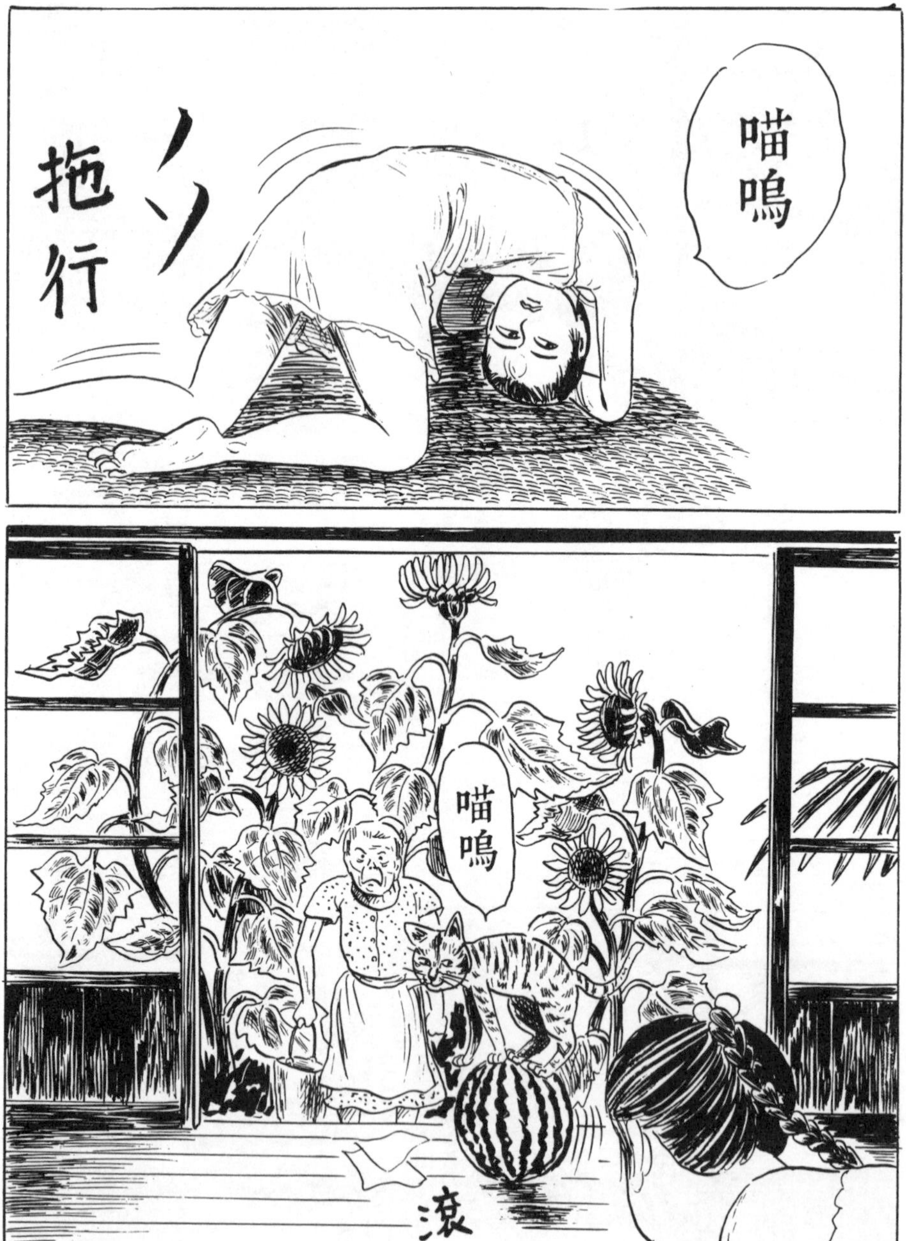
喵嗚
拖行
喵嗚
滾

夏日庭院
絲瓜女孩
千鈞一髮

嘰哩嘰哩嘰哩

拉—
日光
欸，奶奶啊，才一陣子沒看到棚架上的絲瓜，它變得相當大呢。

吃起來到底是什麼味道呢？
怎麼煮最好吃呢？
欸，奶奶啊，妳有沒有聽到啊？
妳不管碰到什麼都只會想著要吃，不過絲瓜是不能吃的啊。
那為什麼要種這麼多啊？
拿來做菜瓜布、採絲瓜水啊。

什麼啊，真無聊。不能吃啊。
長這麼大一顆，卻還是拿你沒辦法呢。
欸，奶奶。
說到晚餐的配菜呀。
茄子我已經吃膩了，別煮啊。
茄子天婦羅、烤茄子、味噌炒菜、味噌湯我也都膩了。
今天能不能煮醬汁炒麵給我吃啊？

欸，奶奶，妳有沒有在聽啊？我要吃醬汁炒麵啦。
這陣子奶奶真常睡午覺呢。

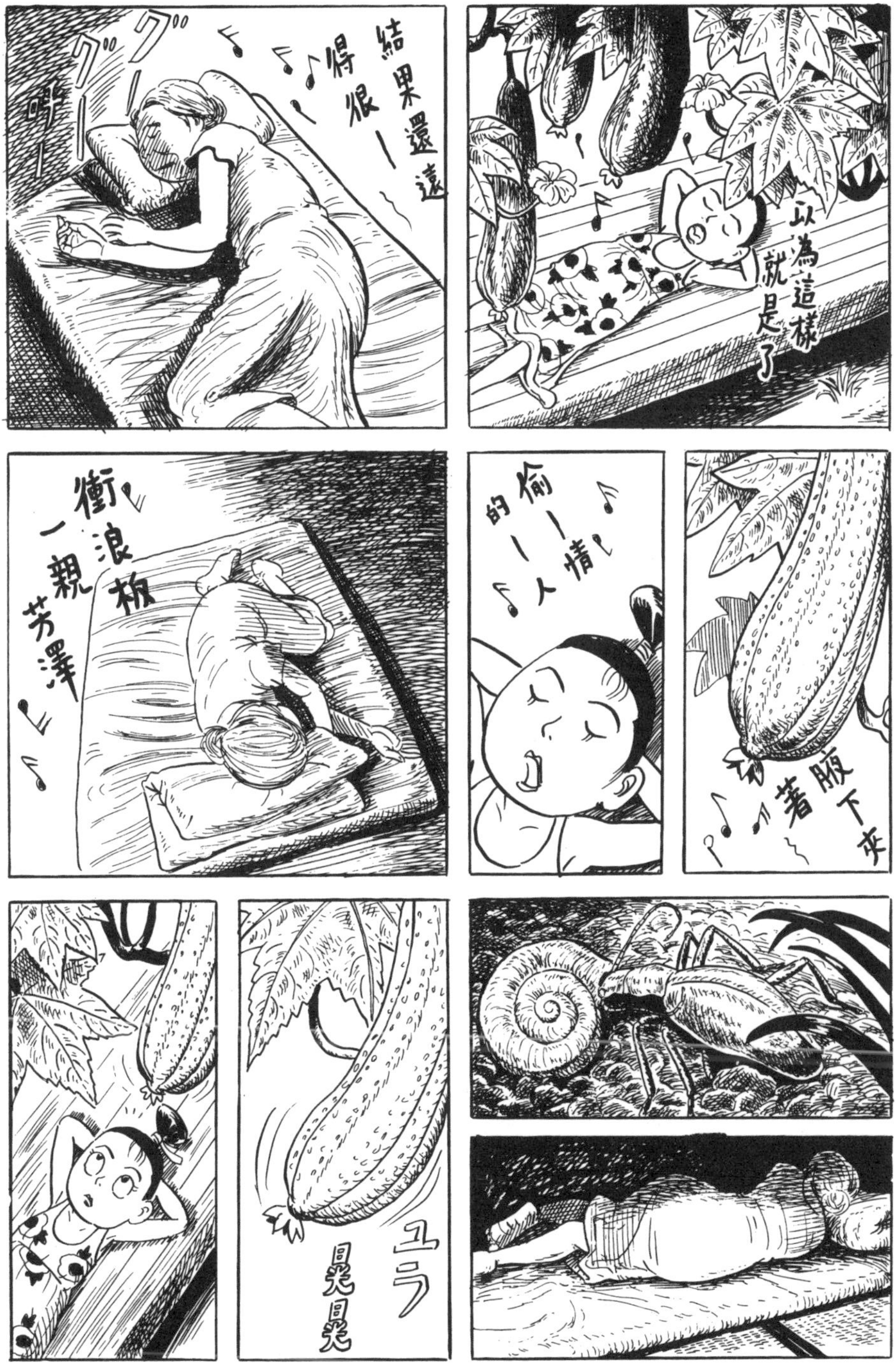
以為這樣就是了
結果還遠得很～
グーグー
呼～
腋下夾著～
偷～情的～人
衝浪板
一親芳澤
ユラ
晃晃

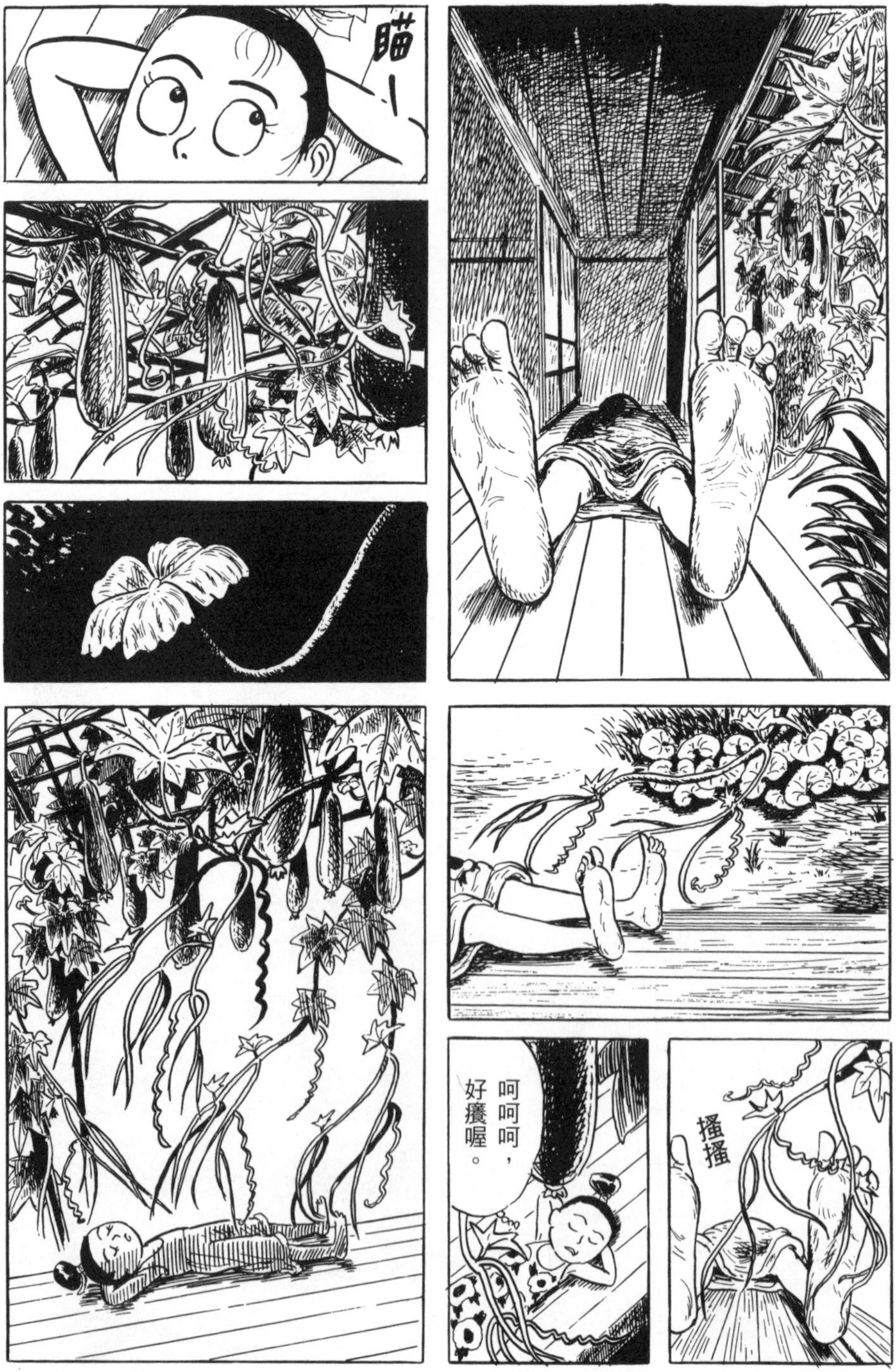
瞄——
呵呵呵，好癢喔。
搔搔

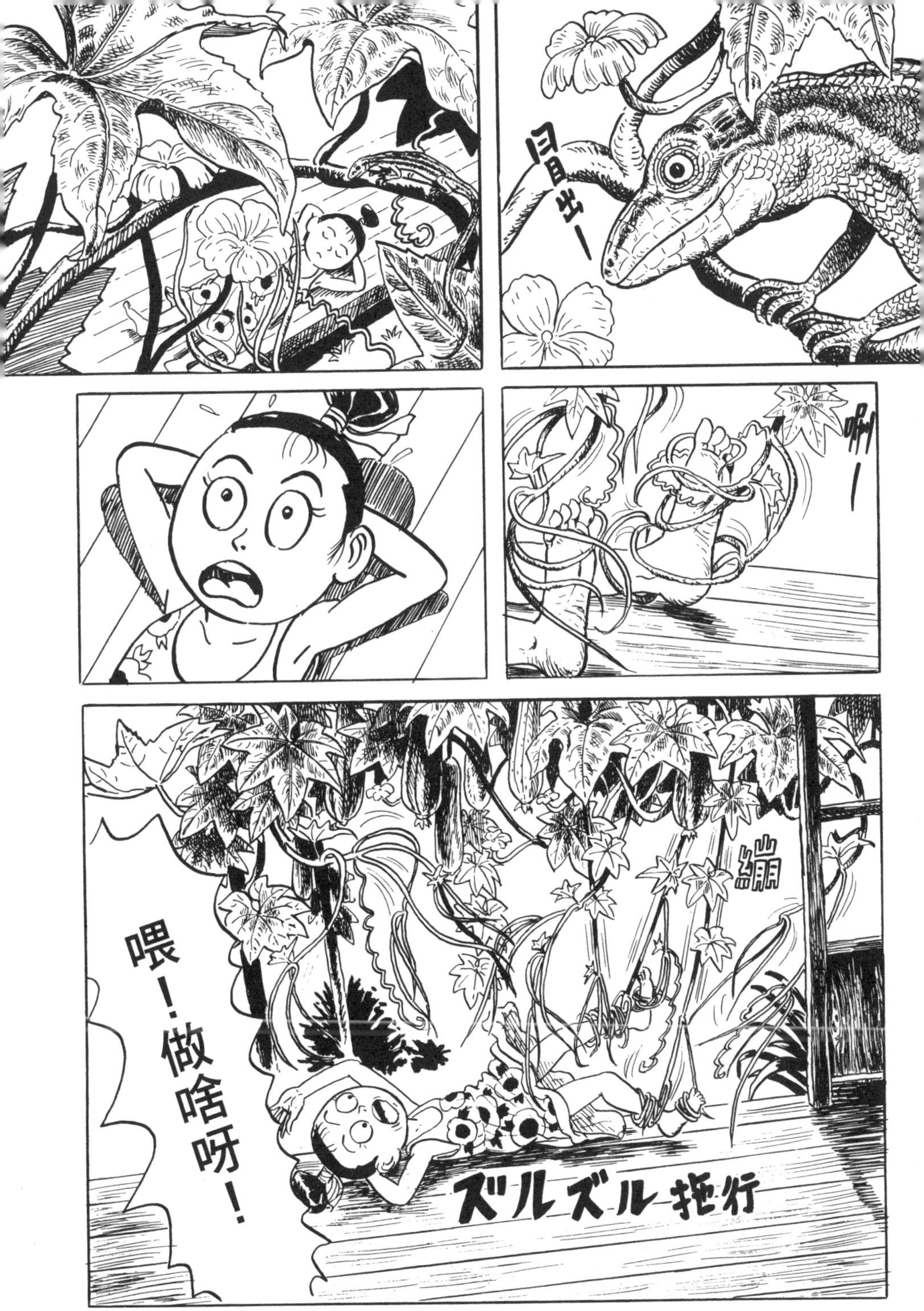
冒出—
唰—
繃
喂!!做啥呀!!
ズルズル拖行

嘎
繃
吱
啊。
ふあ～
飄
奶奶，救命啊！

嗡—嗡
嗡～嗡
什麼啊，原來是夢啊，別嚇我啊。
不是夢啊，奶奶。

回過神來，我已經變成絲瓜了。

奶奶，奶奶，我是絲瓜喔。
救命啊！
嚇！
唉唷，是螳螂，我最討厭的傢伙。
牠盯上蝴蝶了。

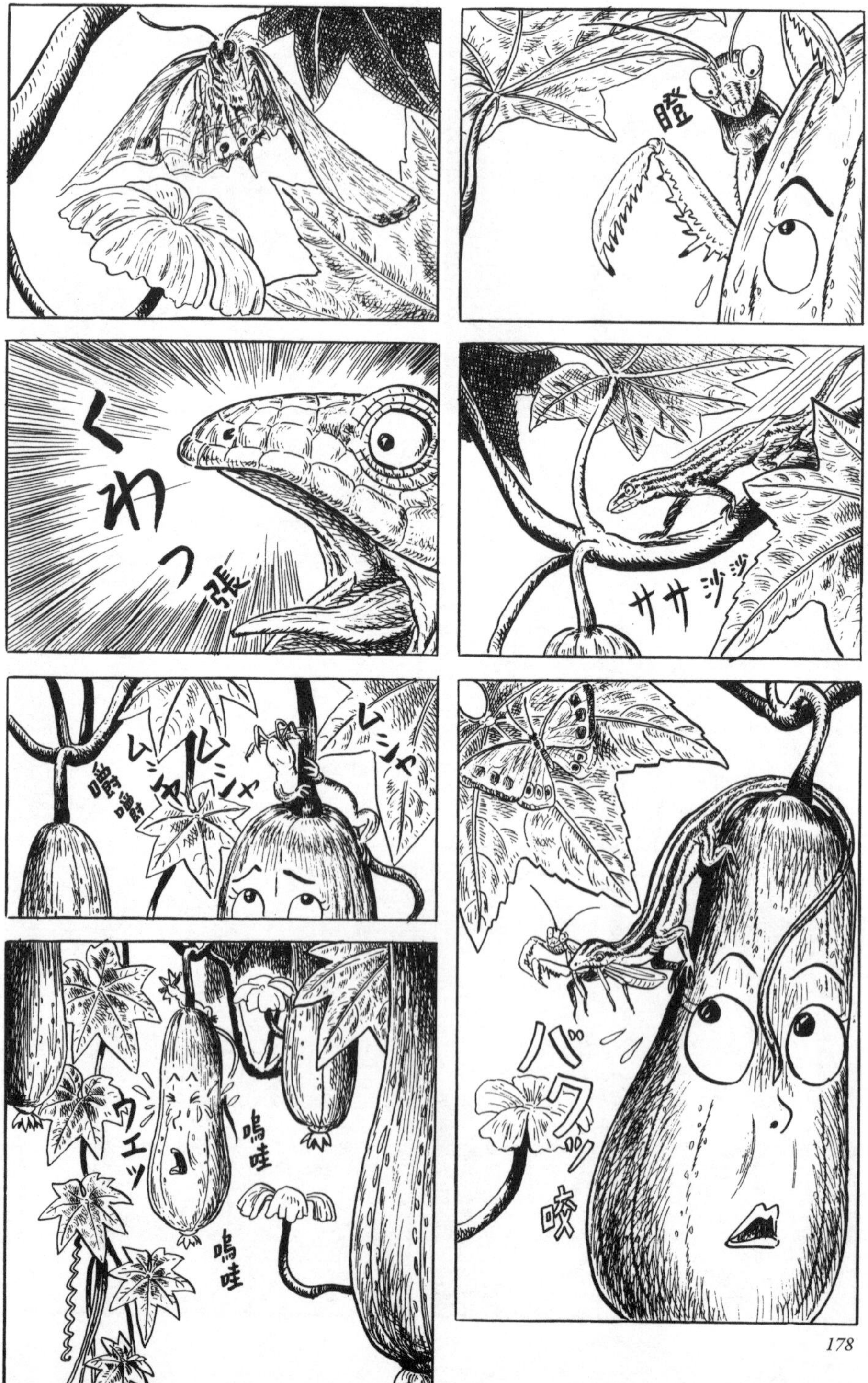
瞪
ササ
沙沙
くわっ
張
バクッ
咬
ムシャ
ムシャ
ムシャ
嚼嚼
ウエッ
嗚哇
嗚哇

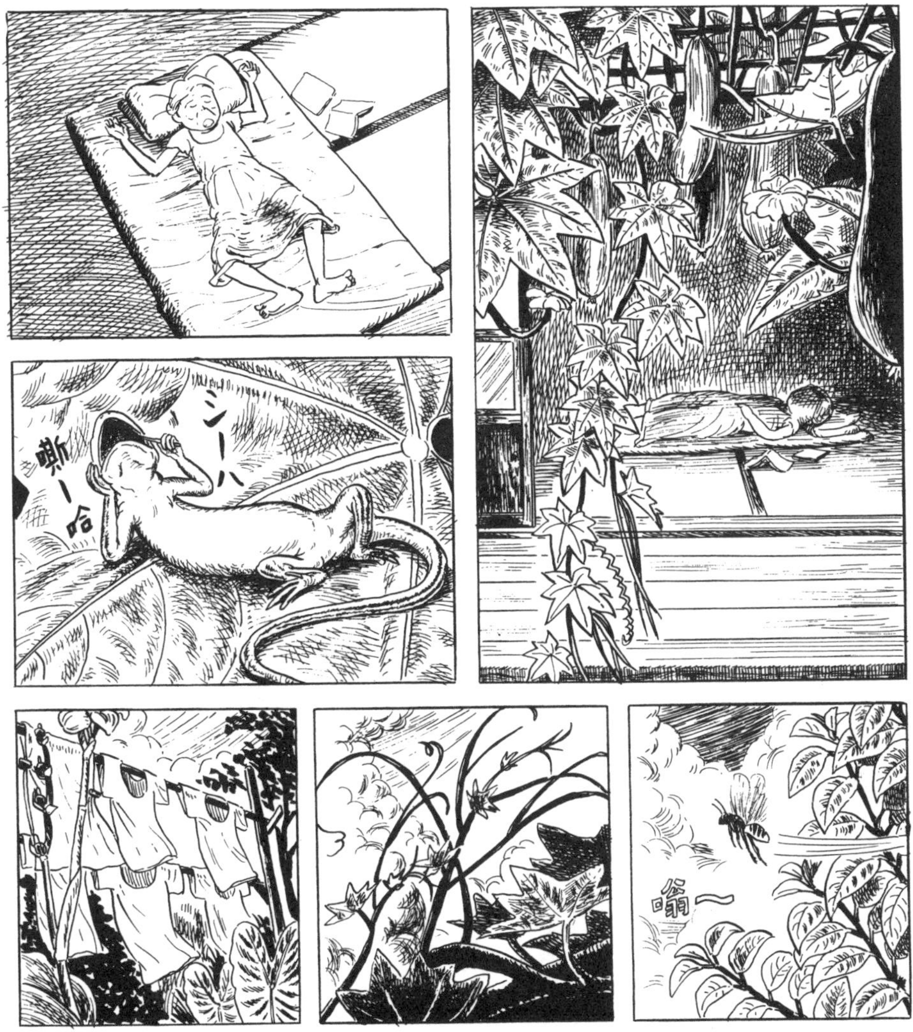
シーハ
嘶ー哈
嗡～
啊～不知那是不是海浪的聲音呢？
沙ー
啊哈哈
呀呀
沙沙沙

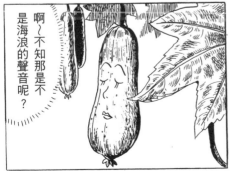

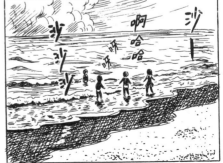

チョン 啾
ギース 唧
好像越來越睏了呢。
呼啊~
ワン 汪
ワン 汪
驚
ワン 汪汪
這聲音是，阿一。
阿一，吵死啦。
是入江。
阿房，我照約定來妳家找妳玩囉。

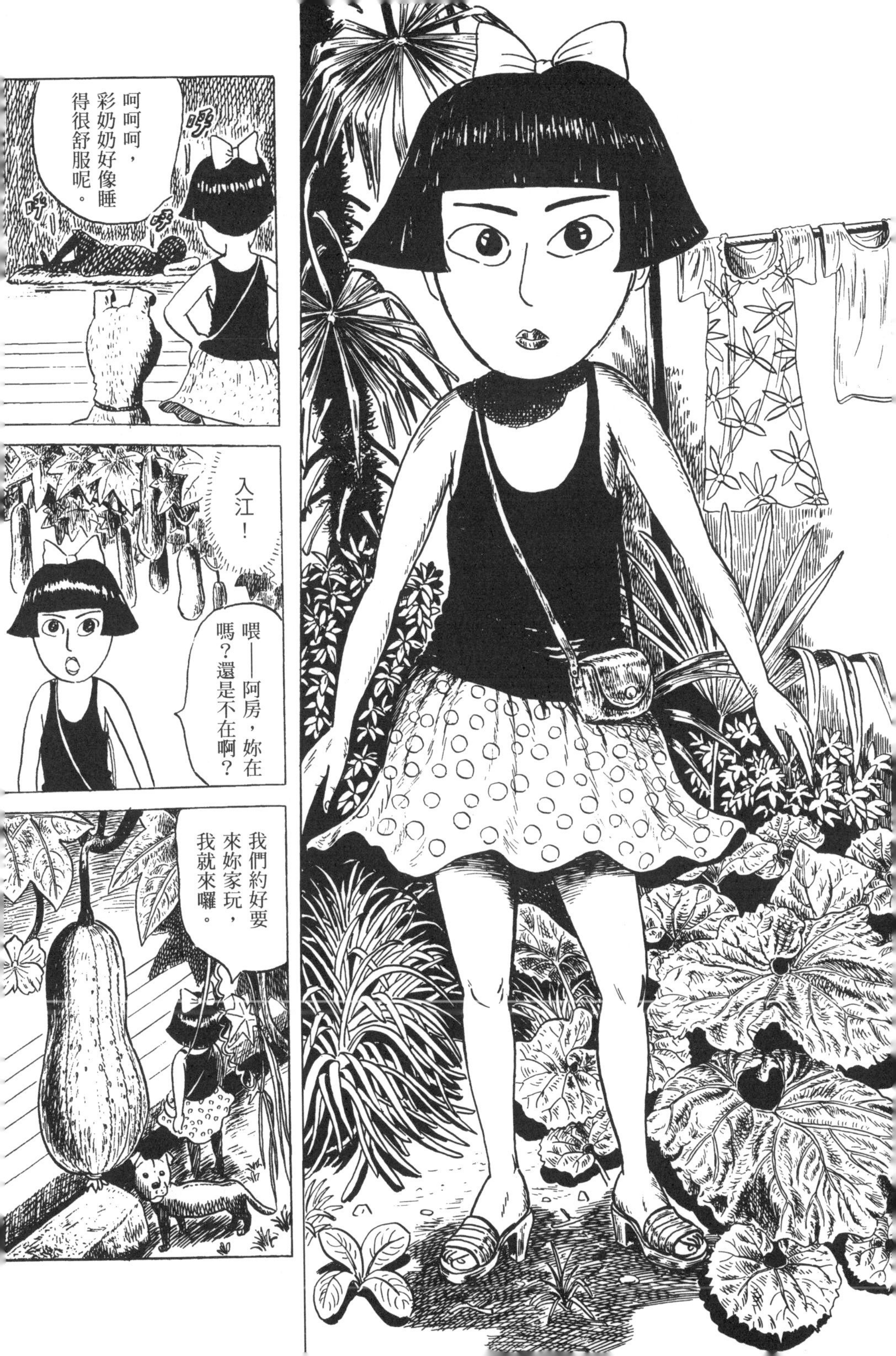
呼
呵呵呵，彩奶奶好像睡得很舒服呢。
呼
呼
入江！
喂——阿房，妳在嗎？還是不在啊？
我們約好要來妳家玩，我就來囉。

哎呀，真的很會睡呢。
クァー
齁～
喂，阿一，
我在這裡喔，我變成絲瓜了。
認得我嗎？我是阿房啊，偶爾會給你餅乾吃呀。
クン
聞聞
討厭啦～笨蛋！
嘩ー
欸，阿一，怎麼辦？阿房好像不在耶。
要回去，還是要等一下看看？
搞不好人在附近，馬上就回來了呀。
ゴロリン倒

我在入江頭上啊，現在正拚了命地傳送想法給妳，感應一下啊！
真棒耶，那件黑色小可愛。第一次看妳穿，很讚喔，入江。

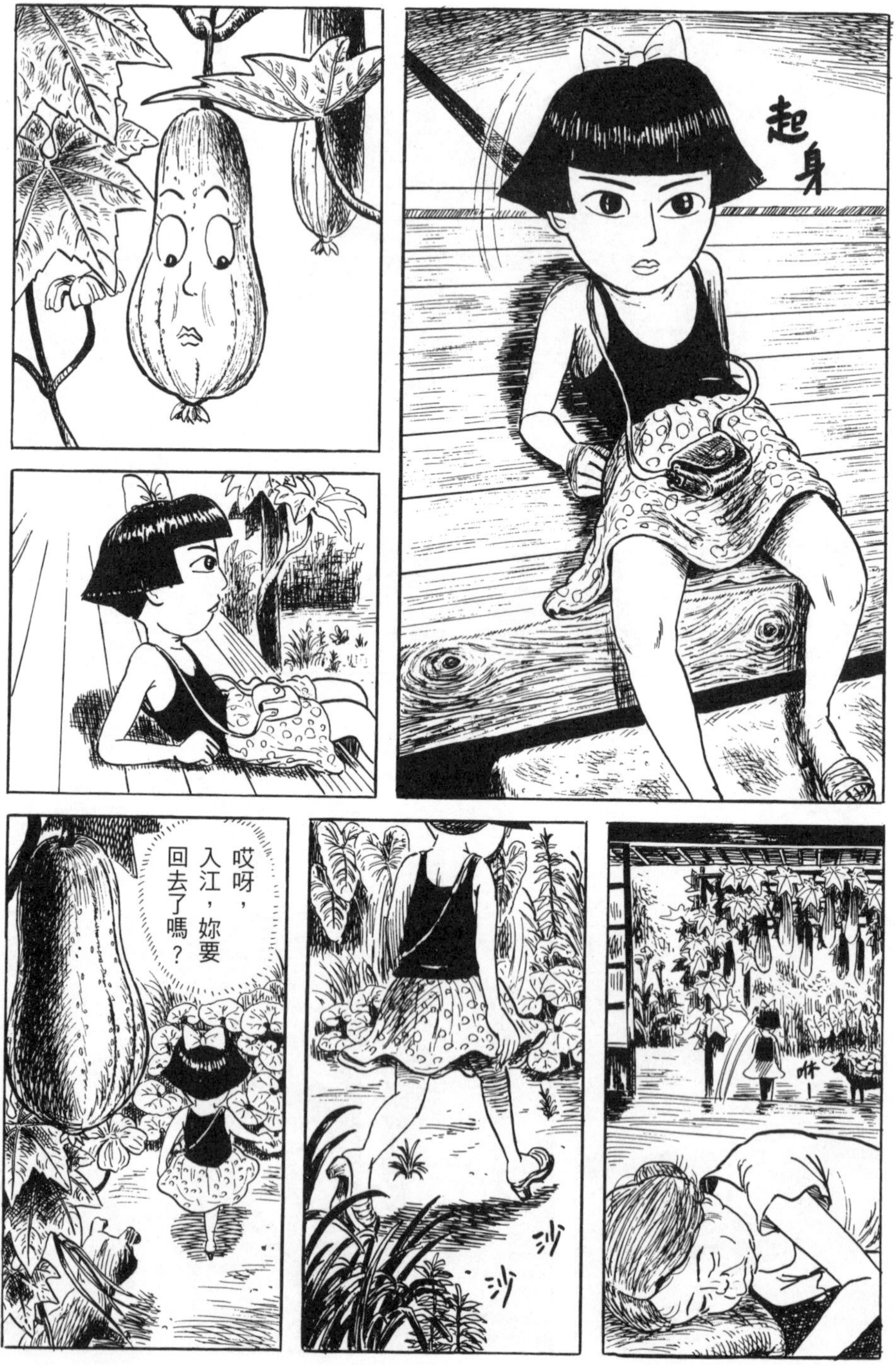
起身
咻—
沙
沙
哎呀，入江，妳要回去了嗎？

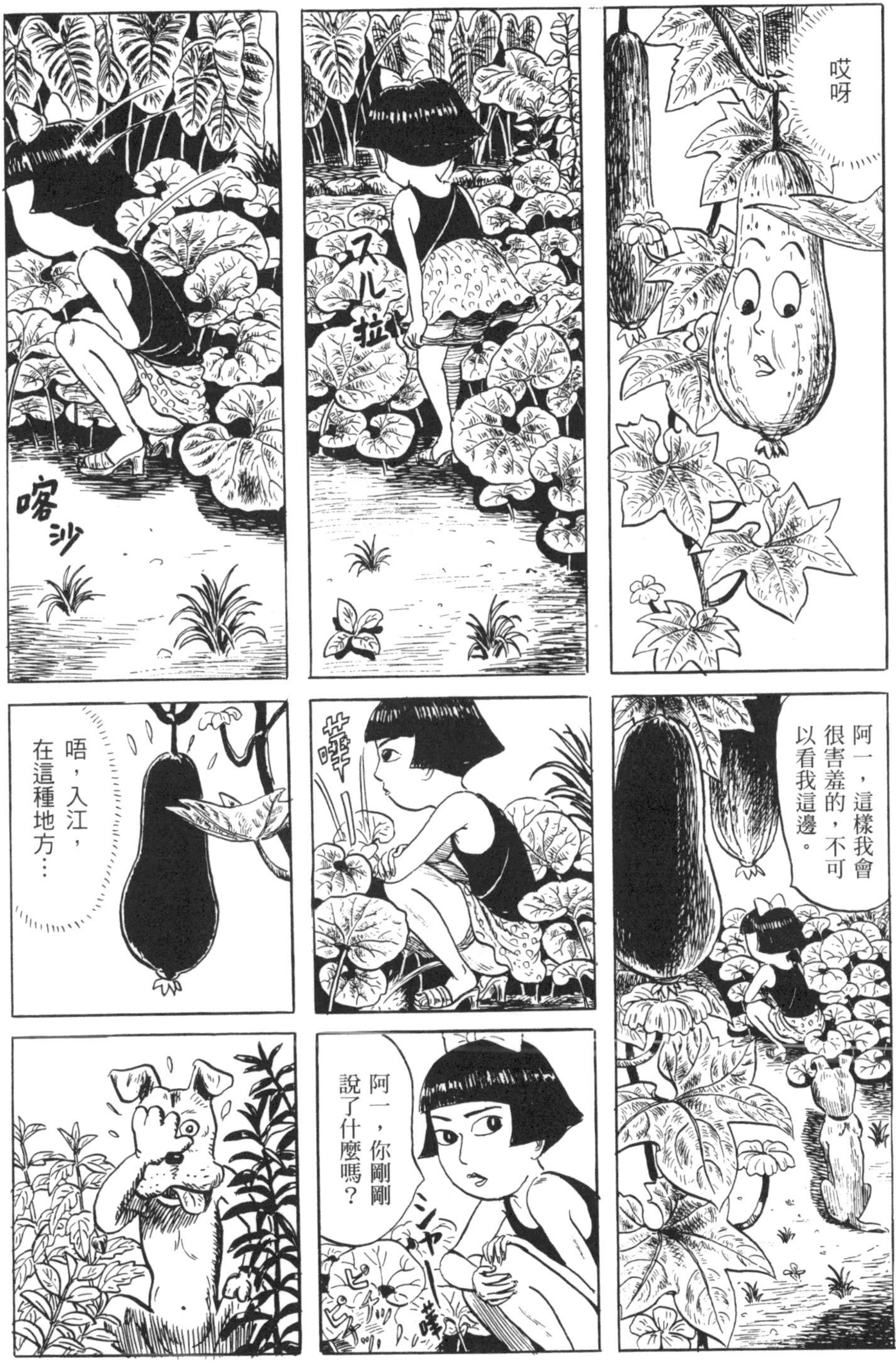
哎呀
スル
拉
喀沙
阿一，這樣我會很害羞的，不可以看我這邊。
嘩
唔，入江，在這種地方…
阿一，你剛剛說了什麼嗎？
シャー
嘩
ピチッ

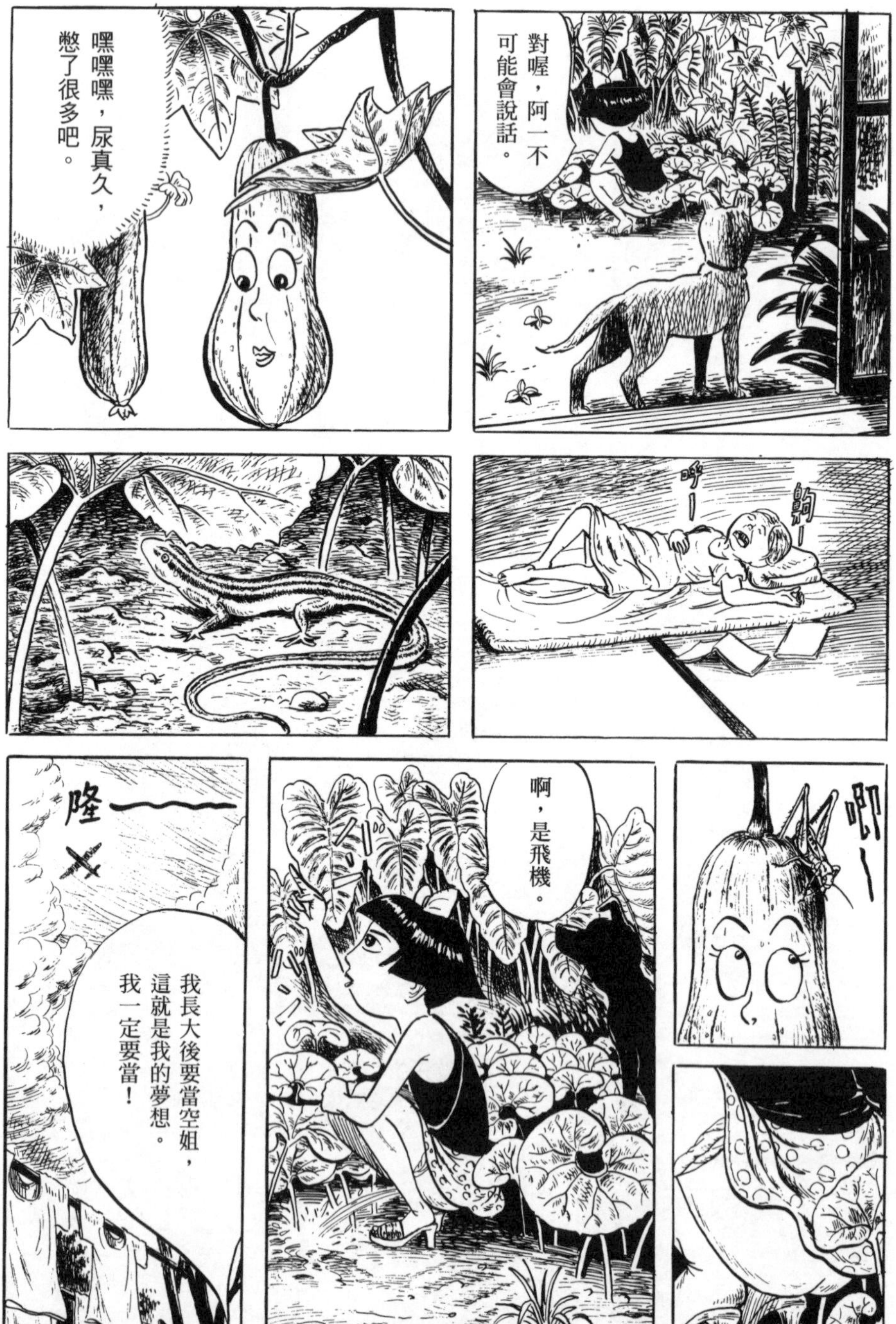

對喔，阿一不可能會說話。
嘿嘿嘿，尿真久，憋了很多吧。
呼—
齁—
唧—
啊，是飛機。
隆——
我長大後要當空姐，這就是我的夢想。我一定要當！

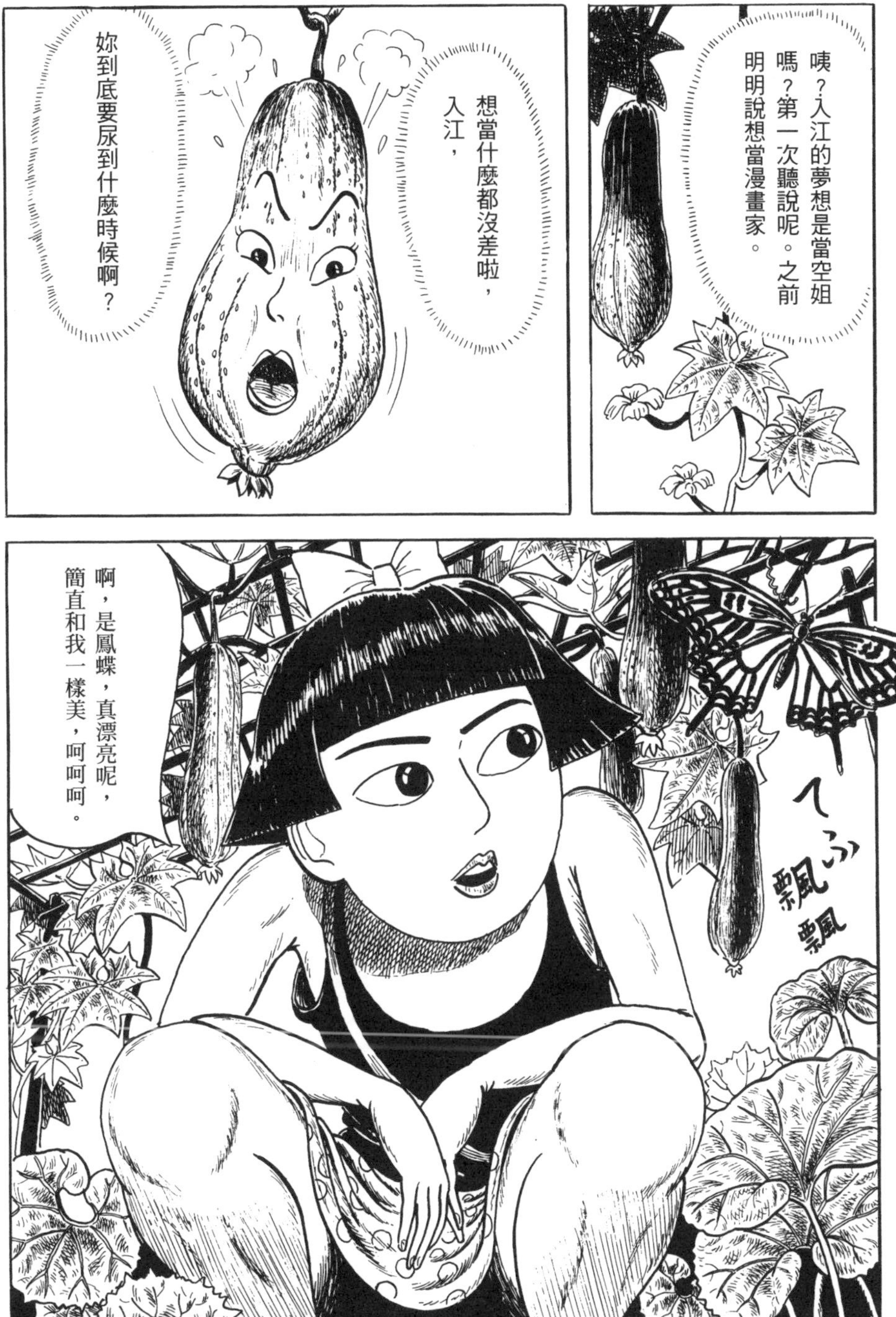
咦?入江的夢想是當空姐嗎?第一次聽說呢。之前明明說想當漫畫家。
入江,想當什麼都沒差啦,
妳到底要尿到什麼時候啊?
てふ
飄飄
啊,是鳳蝶,真漂亮呢,簡直和我一樣美,呵呵呵。

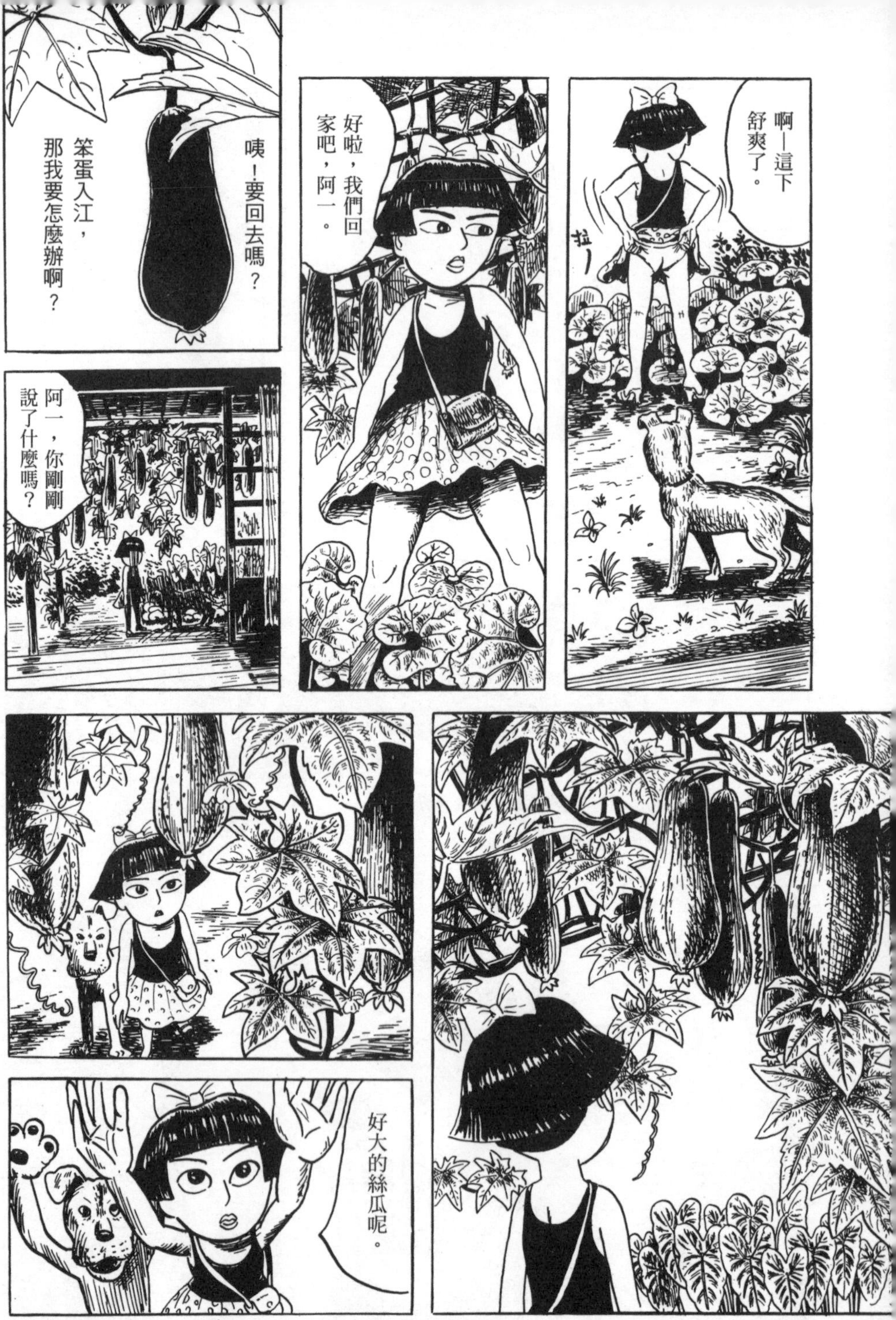
啊—這下舒爽了。
拉
好啦，我們回家吧，阿一。
咦！要回去嗎？笨蛋入江，那我要怎麼辦啊？
阿一，你剛剛說了什麼嗎？
好大的絲瓜呢。

有這麼多顆，
摘一些應該沒關係吧。
入江。
拉
窣沙沙
嘿！
ワン
汪汪
ワン
阿一，你吵死啦，彩奶奶會醒過來的喔。
ワン
ワン
汪汪
彩奶奶，我拿一顆喔。
好怪喔，那顆絲瓜長得真像多福豆[2]耶。

2 蠶豆和糖製成的甜點。

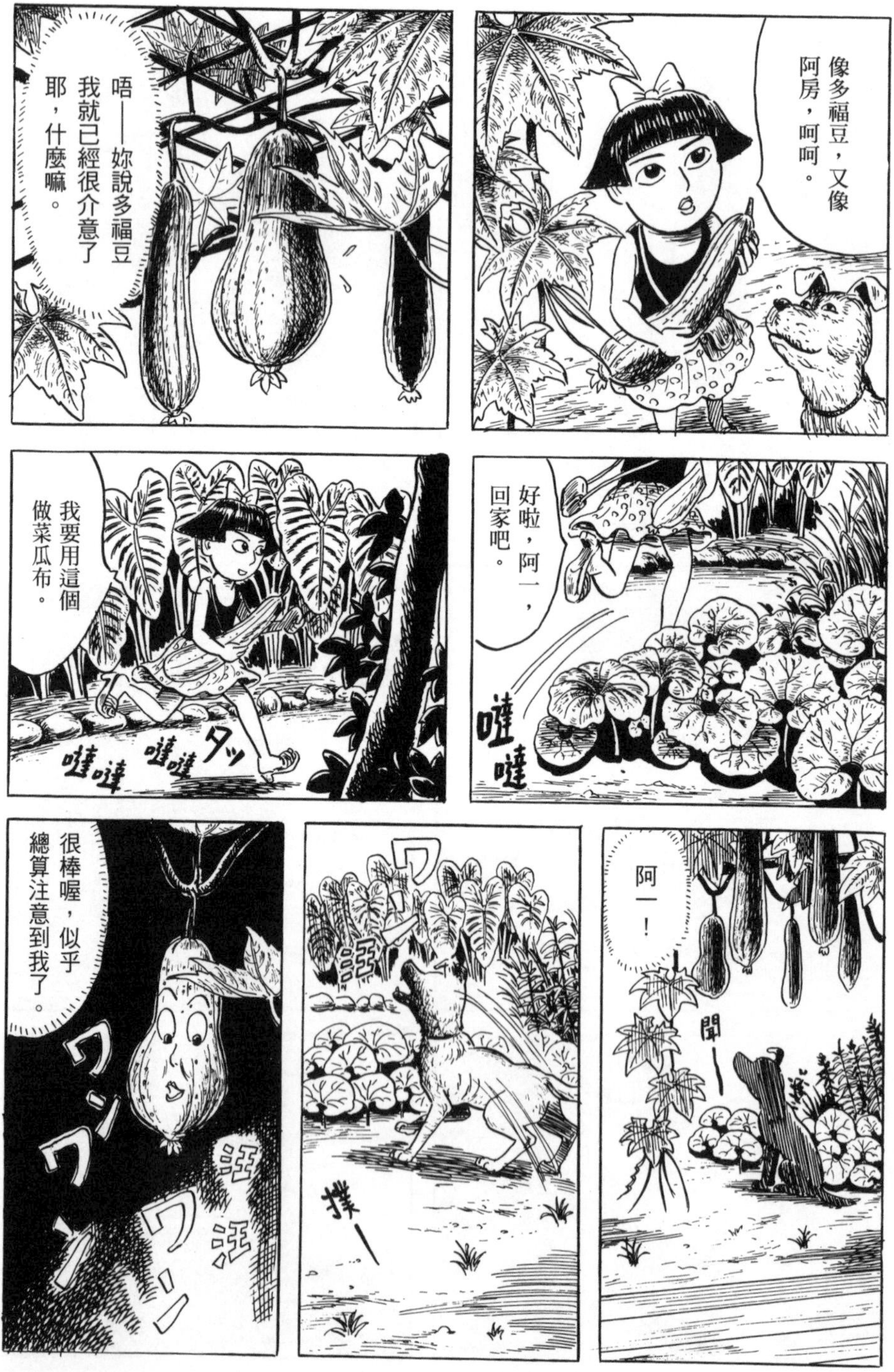
像多福豆，又像阿房，呵呵。
唔——妳說多福豆我就已經很介意了耶，什麼嘛。
好啦，阿一，回家吧。
噠噠
我要用這個做菜瓜布。
噠噠
噠噠
タッ
阿一！
聞—
ワ
汪
撲—
很棒喔，似乎總算注意到我了。
ワンワン
汪汪
ワンワン

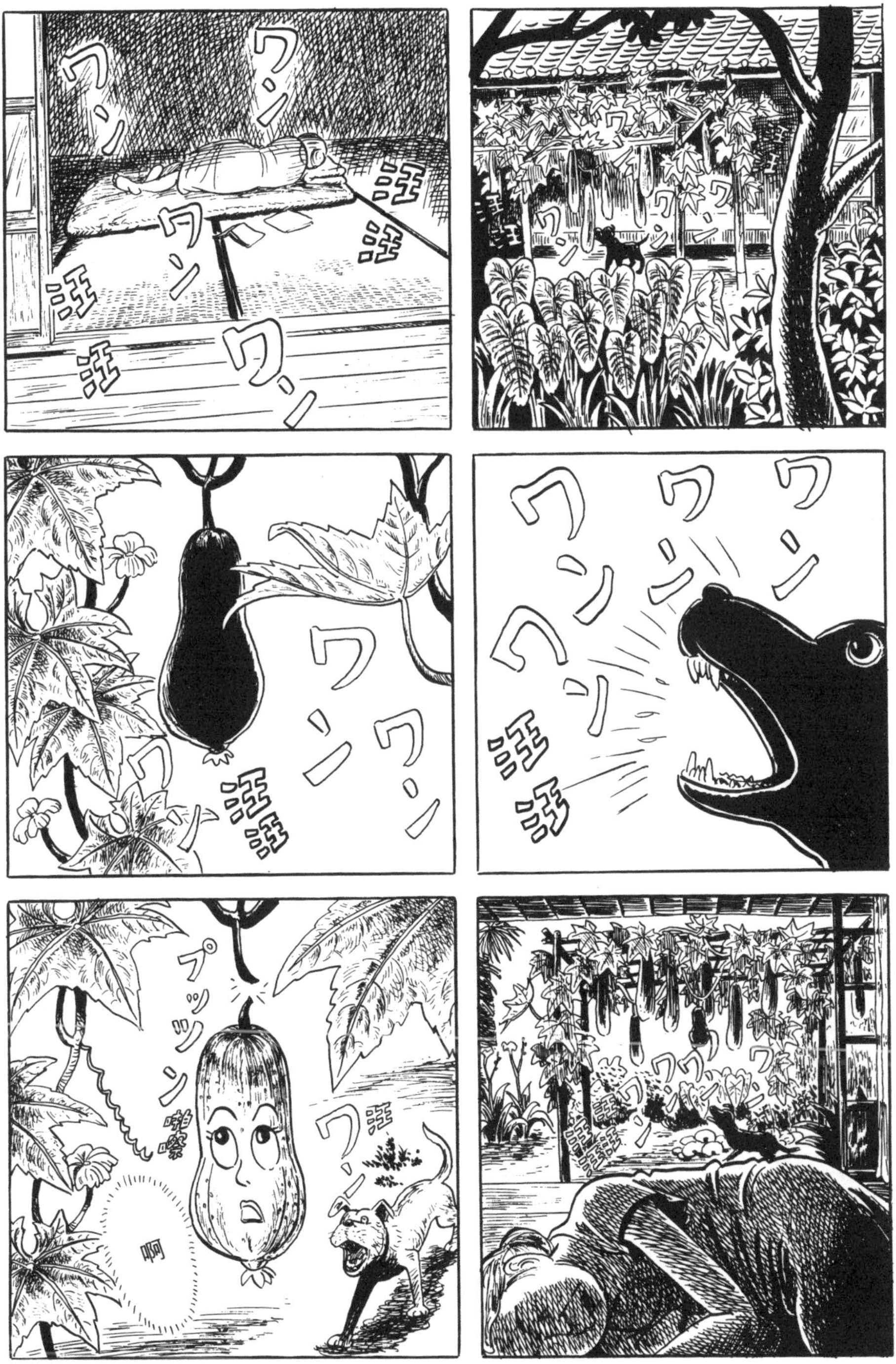
ワン
ワン
汪汪
ワン
ワン
ワン
ワン
汪汪
汪汪
ワン
ワン
ワン
ワン
汪汪
ワン
ワン
ワン
汪汪
ワン
ワン
ワン
汪汪
プッツン
啪嚓
ワン
汪
啊

唷，阿一！
哇啊
咚唰
嘩啦！
沙沙

痛痛痛。
滴—
咚—
咻—
濕淋淋
ウアー〜〜ン
哇〜
阿房，怎麼啦？為什麼哭啊？
ウアー〜ン
哇哇〜哇

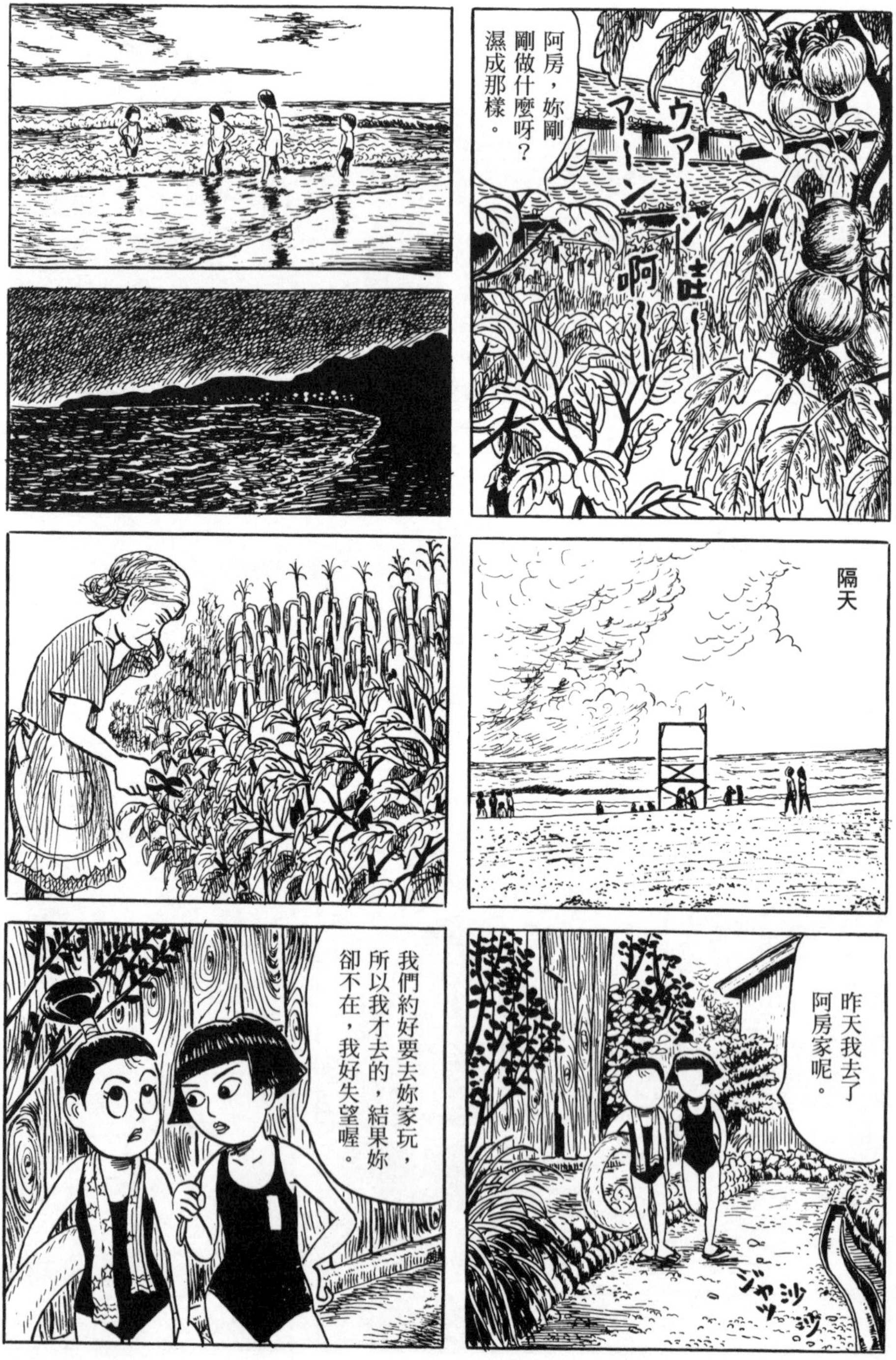
ウアーン 哇~
アーン 啊~
阿房，妳剛剛做什麼呀？濕成那樣。
隔天
昨天我去了阿房家呢。
ジャッ 沙沙
我們約好要去妳家玩，所以我才去的，結果妳卻不在，我好失望喔。

阿一，過來。
嗷—
唷，阿一。
嘻
阿一，要不要去海邊？
不知道牠怎麼了。
哎，沒關係啦，狗有狗的想法。
入江，昨天，絲瓜……
咦？絲瓜？什麼絲瓜？
……
不，算了，沒事。
沙—
沙沙沙

欸，入江，我長得像多福豆嗎？
咦？不像啊，誰那樣說啊？

後記

柚木和

六月的某個夜晚，我接到編輯志村先生打電話來。「把畫到庭院和植物的漫畫集合起來做一本書吧。」他如此提議，於是有了這部作品集。

一九八六年，我以《枇杷樹下》這個書名出版了有生以來第一部作品集，出版社是日本文藝社。作品集中收錄了描寫電影院的〈芝加哥大戲院〉（シカゴパレス）和描寫理髮廳的〈午後的羅蘋理髮廳〉（昼下がりのルパン），我將它們拿掉，改放〈瑞穗與林子〉和〈夏日庭院〉。我現在住在靜岡縣的鄉下，出生地的故鄉，不過當時是在東京租的公寓內畫出了這些漫畫。我會一手拿著相機走出公寓，在附近的城鎮或巷弄閒晃留連。除了街景之外，也拍了許多植物的照片。

擺滿巷弄裡的盆栽，窗戶下方如小山般群生的蘆薈，長到比屋頂還高的巨大仙人掌，往人家院子裡一看發現有絲瓜棚，棚下垂掛著好幾顆沉甸甸的絲瓜。附近寺廟的墓園內生長著華美的櫻花樹，每年都會開出妖豔的花朵。往腳邊一看，有魚腥草、紫茉莉，春夏交界之際有芙蓉、木槿、蜀葵、美人蕉、牽牛花、向日葵。令人聯想到南方的棕櫚樹、芭蕉、八角金盤。會結出圓圓果實的枇杷、柿子、無花果、石榴。我在東京巷弄內不斷看見這些植物，並且反覆拍下它們的照片。我並沒有什麼憐愛花草的心情，不會有真漂亮、好美啊等想法。原本由人類之手種下的庭木會在不知不覺中擅自茂盛生長，無關乎人類的意志或心情——我認為那模樣極為不祥，甚至情色。

思考後記要寫什麼時，我想起了東京的巷弄。（同時想起，我一個男人大白天拿著相機徘徊於巷弄時，偶爾會被誤認成偷窺狂、變態，也曾被當作泡沫經濟時期房地產開發商的走狗。）

庭院和植物和緣廊加上少女，我深信只要有這些元素就能畫出有趣的漫畫，因此畫了這些作品。

少女倒臥在緣廊上度過無為、無償的時間，而緊鄰她的庭院內茂密生長著數不清的植物——是我最先想到的意象。如何描繪這個庭院，是至關緊要的問題。簡言之，我所設想的庭院是未經管理的庭院，或者是茂盛生長速度遠超過管理能力的庭院。植物會逼進到緣廊邊界，偶爾甚至會越過緣廊，入侵到房間內。你得擁有畫技、耗上大量的時間，才能用沾水筆實現這場面，因此我總是連設想的繁複度的一半都達不到就擱筆了。

〈枇杷樹下〉想畫的是爬樹的女孩子。故事裡爬的是枇杷樹，但老實說，我並沒有看過高大到可以讓人爬的枇杷樹。這篇故事另一個想著墨的點，是少年意識到「性」之前的情色氣氛。院子裡的狗、鯉魚、蜻蜓等等的，也為氣氛的形成提供了一些助力。

〈八月的妹妹〉想畫的是少女的腳，想要從戀物的角度來描繪少女之腳的姿態和運動。

〈食火雞的庭院〉中出現了棕櫚樹和雞，也許先把話說在前頭比較好：這是受到大名鼎鼎的伊藤若沖的影響，或者說是對他的拙劣模仿。大田區立圖書館在我當時住的公寓附近，我在那裡發現了豪華的若沖畫集，反覆看了好幾次。我不知道要怎麼形容若沖繪畫的美妙，不過我一看再看看了好幾年，永遠都不會膩。我的其他篇漫畫也一再模仿若沖畫雞，不過如果被拿去和若沖比較，我會覺得羞恥到不行。描繪動植物的畫家當中還有一個人深深吸引我，那就是在奄美大島生活、死去的田中一村。

〈瑞穗和林子〉實在是畫得很隨便。我還有其他想畫的題材，但覺得畫那些好像很花時間、很麻煩，想著想著，截稿日就來到眼前了。那總之就畫點什麼吧！當初是懷著這樣的心情動筆的。畫完之後我不敢重讀，一直封印著它。尤其最後一頁亂七八糟，我很想整頁重畫，不過好點子一直沒浮現，最後還是照舊收入書中了。老實說，我後來發現其他篇漫畫也有類似的馬馬虎虎。

現在正逢出版業不景氣，編輯志村先生還提議出版如此平淡的漫畫，我心懷感激。

2001年8月10日

首次發表處

- 枇杷樹下《COMIC貘》（COMICばく）五號，一九八五年六月。
- 八月的妹妹（原題：柔和的場所）《COMIC貘》（COMICばく）三號，一九八四年十二月。
- 海上的姑娘《COMIC貘》（COMICばく）六號，一九八五年九月。
- 黃金時代Ⅰ《劇畫PANIC》（劇画パニック）一九八四年四月。
- 黃金時代Ⅱ《劇畫PANIC》（劇画パニック）一九八四年五月。
- 繭子．理科教室《GARO》一九八二年五月。
- 食火雞的庭院《COMIC貘》（COMICばく）八號，一九八六年三月。
- 瑞穗與林子《COMIC貘》（COMICばく）十五號，一九八七年十二月。
- 夏日庭院《GARO》一九九五年三月。

附錄

《枇杷樹下》中文版導讀／後記

枇杷樹下灑落的暗影：柚木和的生與慾

「這位是天才漫畫家柚木和。」

另類漫畫誌《COMIC貘》（COMICばく）主編夜久弘與柚木和初見面時，電影導演兼情色劇畫誌編輯山崎邦紀如是介紹。那是一九八四年十二月以前，也就是本書收錄的〈八月的妹妹〉[1]首次刊登在該誌之前的事了。當時的柚木和從《GARO》（ガロ）出道已逾三年半，期間雖沒有在正規的漫畫誌上刊載，但也間斷地於山崎所編輯的《劇畫PANIC》（劇画パニック）上繪製情色作品，同時也在類似的雜誌《SM SELECT》（SMセレクト）上創作。

柚木和與夜久弘的碰面，帶來了開展藝術性作品的機會，也成了他漫畫生涯最重要的時刻；而讀者今日眼前所見的這本初作品集的第一版，也是由夜久弘催生出來的。「如果沒有《COMIC貘》，

1 原題為〈柔和的場所〉（やわらかい場所）。

是絕對畫不出這些作品的」柚木和在該誌第十期的作者的話中如是寫道。

但，所謂的天才，也是在前人的開拓下，才得以有更為新穎的視界。

先是他者，後成自我

柚木和一九八一年七月以〈芝加哥大戲院〉（シカゴパレス）[2]在《GARO》初登場前，曾被當時的總編輯南伸坊退稿兩、三次。時值二十六歲的他，剛離開日本料理職人的正職工作約有一年，對漫畫的路雖沒有認真的想法，但深深為鈴木翁二的作品所著迷。

「我想他果然是鈴木翁二的粉絲啊，你若看他的風格，他捕捉圖像的方法也是那樣的，氣氛和畫本身都進到翁二的世界裡去了。其實得早點從那樣的東西畢業，做出自己的世界啊。」《GARO》創辦者長井勝一在後來的訪談中回憶道。

或許是對「自身」的創作有所迷惘，好一番掙扎後，時隔約一年才在一九八二年五月，交出了收錄於本書的〈繭子．理科教室〉的短篇，讓長井有些驚訝。原先以為還是會以出道作的舊式電影院為主題做續篇，沒想到卻是畫了女孩的故事，還走出了自己的路線。

義春式少女的諧仿

「一開始想要畫像柘植義春先生的〈紅花〉（紅い花）那樣的作品，有把它跟理科教室場所試著一起畫看看的想法。」柚木和在一九九五年的訪談中提到柘植義春的影響。〈紅花〉描寫少女難以捉摸的心情與其初經來時被少年目擊的景象，敘事沒有高張的情節轉折，卻道出青春期不安定的淡雅樸實，與成長所追不回的已逝之物。

或許是少女特有的幽微情感抓住了柚木和的目光，在〈繭子．理科教室〉中，讀者從繭子受到指控開始理解整篇敘事，但沒有事件的開頭，讀者難以知道真相，卻隨著主角的堅定，逐漸信任其話語。直到故事的尾端，在繭子被懲罰掃地的過程中，我們才恍然意識到主角作為少女的不可信，話語無論是出於何種原因可能失真卻也非假。

而這個嘗試有趣的是，在敘事上創造了閉鎖的可動性，也呼應了柚木和在版面構成上所做的節奏的安排。作者數次以偏小的直格，時不時取景主角的全身，看照其正面、側面或背面，營造孤立的處境，對比其他角色較常有的寬格，更讓人感受少女的壓抑情懷。

2 收錄在一九八六年日本文藝社首次出版的《枇杷樹下》。〈芝加哥大戲院〉敘述兩位小男孩潛入廢棄的電影院中玩鬧，描畫大量的歐美電影海報，更在結尾哀默美國導演拉烏爾．沃爾什（Raoul Walsh）之逝去。

封印不住「慾」的密室

其後，整個一九八三年似乎沒有產出的柚木和，其實大半日子除了做板前[3]的兼職打工，也花了不少時間在圖書館翻書、在電影院看片，看來是很癡迷於這些閉鎖空間。這跟文藝評論家川本三郎在〈柚木和論：植物的感受性〉（ユズキカズ論：植物の感受性）一文中的猜測有所呼應，他認為柚木和「不是密閉恐懼症而是密閉愛好者」，因為作者很喜歡畫這類的空間。

像是本書首篇的〈枇杷樹下〉小男孩光市所在的和室、〈海上的姑娘〉的電影館、〈黃金時代〉兩篇的圖書館，以及前述的理科教室，都是密閉的空間。然而，這些封閉的場所卻不是全然地禁止進入，總還是有些人物的來去，使得空間的氛圍在角色的流動中透著野性的魅力。「雖然喜歡密室，也並非只畫密室，不如說是對空間有興趣，那裡有沒有封閉都沒關係的。」柚木和一派輕鬆地在《COMIC貘》第六期中寫道。

於是，我們也可以在上述的大部分短篇中，看見幽暗的情竇從密室裡竄逃。像是生病的光市對大姊姊的情愫、電影館中被幸男襲胸的瑞穗，以及圖書館內孩童看似無邪卻充滿惡意的玩鬧，種種都在光線似透非透的暗室中，隨著柚木和生猛卻節制的筆墨，滿溢開來。

植物成為意志的附體

而在密室之外，柚木和在發展自我風格的同時，逐步開展對植物的關注。「雖然在柘植義春先生的漫畫中有描寫植物的畫格，但至今不太有把植物畫得滿滿的作品。所以就想若是畫很多植物的話圖會變得如何，覺得如果隱約地畫不也很有趣嘛，所以就這麼畫了。」

的確，就一九八〇年代的文藝實驗漫畫領域裡，像柚木和這般琢磨植物蓬生樣態的，或許寥寥無幾，風格能相呼應的漫畫家也不多。反倒是如評論家上野昂志所提及，法國畫家亨利・盧梭（Henri Rousseau）所繪製的夢境般的叢林植物，能與之契合。

但他的植物，並非借景抒情般借喻式地暗示角色的情感，而是作為在場不純的見證者，傳遞濕黏的慾念，以之搔撓著畫中的老人、少女與孩童。而其最後的漫畫作，也是本書收錄的最後一篇〈夏日庭院〉，更是讓少女阿房直接被絲瓜擄走，成為了瓜自身；在〈瑞穗與林子〉中也讓少女的打架伴隨植物的起舞，呈現張狂生動的場景。

不過，除了植物的主動性，柚木和主要的手法，仍是將植物放在畫格的顯眼之處。最早出現大量植物的篇章〈黃金時代〉，在第二篇的首頁，植物在前景的情況為多；〈枇杷樹下〉、〈食火雞的庭

3 與一般西式餐廳的廚師不同，屬於日本料理店的專門料理人。這是柚木和在一九九五年十月號的《GARO》訪談中，侃侃自陳的過往經歷。

院〉也是如此，蔓生的花草幾乎成為一種入侵，爭奪畫中角色的話語。

「我希望庭園變成一個豐富的庭園，植物繁茂增生，鳥兒從天而降，小動物和昆蟲橫行，變成一個引起情慾的庭園。」4

曖昧冷靜的情色

相信讀者或許也注意到，情色也是柚木和在本書中著墨的面向。即使不是在情色劇畫誌上刊登的作品，女孩的描畫也略帶色氣，但也並非是粗暴地擺首弄姿賣弄性感，像是〈繭子・理科教室〉中雙胞胎的神色與姿態等（除了因為〈黃金時代〉刊載在情色劇畫誌上，有更直接的裸露描繪，否則其他作品幾乎都是有些含蓄的）。

此外，柚木和筆下的女孩，即使身處劣勢或面對性的惡意，都泰然自若，彷彿性的煩擾不能破壞她們的本質。亦即，他將不可褻玩的個體做性化，卻又讓他們具有某種韌性，成為掌控慾望的載體，消弭了色慾所帶來的道德上的不適，使畫面透出一種淡然與冷靜，甚至有些幽默。這令讀者無法宣洩快感，只能為眼前的景色驚愕尷尬，並思索其中微妙的空氣感。

好比〈八月的妹妹〉中，開頭的畫面多有聚焦在姊姊的臀部與腿部，但作者卻讓妹妹輕蔑鄙夷地談論著姊姊的臀部，彷彿向有遐思的讀者打了一巴掌，令人尷尬不已；卻又同時描畫著換衣服的妹妹，讓人不知該如何論定作者的有色視角。

除了前述種種對本書概題式的分析，各短篇應可再做更細節的評述，只是礙於篇幅無法詳盡，這也代表著柚木和的作品足具魅力，能讓大家再繼續探索挖掘[5]。至於為何柚木和不再創作？從柘植義春二〇一四年的訪談[6]中可略之一二，似乎是因為漫畫賣不下去而放棄，爾後繼承家業賣魚去了。

雖然現在年約六十八歲的柚木和似乎不再繪製新作，但日本的青林工藝舍仍在去年（二〇二二年）為他集結出版了八〇到九〇年代未曾收錄於單行本的作品集《在柳屋見吧！》（ヤナギホールに会おう），也因此舉辦了出版紀念展，成為時隔近二十年的第五本漫畫作品集，實在不容易。

隨著今天《枇杷樹下》譯本的出版，似乎證明了這位在日本漫畫史中閃現的暗影，有著不可忽視的魅力，讓日本作家東鄉隆為之驚嘆——「哎呀，這果然是在畫魔啊。」魔性，或許就是他作品最好的註解了。

吳平稑

---

4 出自一九八六年《枇杷樹下》初版作者所撰寫的後記。

5 事實上，〈黃金時代〉一作埋藏著諸多文化引用，像是圖書館書架上擺上了眾多電影標題，其中提及了幾部西班牙導演路易斯・布紐爾（Luis Buñuel）如《女僕日記》（*Le journal d'une femme de chambre*）、《少女》（*The Young One*），可能需要再做更細緻的探討。值得注意的是，本作題名的「黃金時代」，也可能出自導演的同名電影作品。

6 該篇訪談收錄於《藝術新潮》二〇一四年一月號，也再收錄於《柘植義春夢世界》（二〇一四年九月二十日發行），提問者為藝術史家山下裕二。

參考資料

- 夜久弘。《「COMICばく」とつげ義春――もうひとつのマンガ史》。東京：福武書店，一九八九。
- 〈ガロ名作劇場42 ユズキカズインタビュー〉。《ガロ》一九九五年十月號。東京：青林堂。
- 《COMICばく》第一期到第十五期。日本文芸社。
- つげ義春等人。《つげ義春：夢と旅の世界》。東京：新潮社，二〇一四年。
- 胡曉江。〈柚木和《黃金時代①②》完結+解說〉。二〇一四年。
- 胡曉江。〈夏日枇杷樹――柚木和之一〉。二〇一四年。
- 臆想圖誌。〈少年熱帶夜――柚木和〉。二〇一四年。

柚木和漫畫單行本列表

- 枇杷の樹の下で，一九八六年三月十日初版，日本文芸社。二〇〇一年九月二十五日改訂再版，青林工藝舍。（二〇二三年七月，繁體中文版《枇杷樹下》，鯨嶼文化）
- 天幕の街，一九八七年五月十日初版，東京三世社。
- 水街，一九九〇年十月一日初版，日本文華社。二〇〇三年八月三十日改訂再版，青林工藝舍。
- マハラジャ日和，一九九三年五月一日初版，河出書房新社。
- ヤナギホールで会おう，二〇二二年三月三十一日，青林工藝舍。

MANGA 008

枇杷樹下

枇杷の樹の下で

作　　　者　柚木和 ユズキカズ
譯　　　者　黃鴻硯
導　　　讀　吳平稑
美術／手寫字　林佳瑩
內 頁 排 版　藍天圖物宣字社
校　　　對　魏秋綢
社長暨總編輯　湯皓全
出　　　版　鯨嶼文化有限公司
地　　　址　231 新北市新店區民權路 108-3 號 6 樓
電　　　話　(02) 22181417
傳　　　真　(02) 86672166
電 子 信 箱　balaena.islet@bookrep.com.tw

發　　　行　遠足文化事業股份有限公司【讀書共和國出版集團】
地　　　址　231 新北市新店區民權路 108-2 號 9 樓
電　　　話　(02) 22181417
傳　　　真　(02) 86671065
電 子 信 箱　service@bookrep.com.tw
客 服 專 線　0800-221-029
法 律 顧 問　華洋法律事務所 蘇文生律師
印　　　刷　勁達印刷有限公司
初　　　版　2023 年 7 月
初 版 二 刷　2023 年 7 月

定價 400 元
ISBN 978-626-7243-31-2
EISBN 978-626-7243-29-9（PDF）
EISBN 978-626-7243-28-2（EPUB）